biblio Théâtre lycée

L'Île des esclaves

MARIVAUX

Notes, questionnaires et dossier
par Isabelle de Lisle,
agrégée de Lettres modernes

et Sylvie-Laure Beauthier,
agrégée de Lettres classiques.

Sommaire

❶ Avant de lire l'œuvre

❷ *L'Île des esclaves* (texte intégral)

❸ Dossier Bibliolycée

ISBN : 978-2-01-706455-8
© Hachette Livre, 2019, 58 rue Jean Bleuzen, CS 70007, 92178 Vanves Cedex.
www.parascolaire.hachette-education.com
Tous droits de traduction, de reproduction et d'adaptation réservés pour tous pays.

❹ Dossier Spécial bac

Marivaux
(1688-1763)

▶ Journaliste, romancier et surtout dramaturge, Pierre Carlet de Chamblain de Marivaux renouvelle la comédie au XVIIIe siècle, excellant dans la peinture de la psychologie amoureuse.

▶ À l'époque des Lumières, il propose une réflexion approfondie sur les usages de la société, plus en moraliste qu'en réformateur.

Marivaux par Carle van Loo.

ŒUVRES CLÉS

- *Arlequin poli par l'amour* (1720), comédie féerique en un acte qui remporte un triomphe au Théâtre-Italien.
- *La Double Inconstance* (1723), comédie en trois actes où brille son actrice fétiche, Silvia, et qui sera jouée à la Cour.
- *L'Île des esclaves* (1725), comédie sociale en un acte représentée avec succès.
- *Le Jeu de l'amour et du hasard* (1730), comédie en trois actes qui fut un couronnement dans la carrière du dramaturge.
- *La Vie de Marianne* (1731-1742), son premier grand roman inachevé.
- *Le Paysan parvenu* (1734-1735), second volet du diptyque, roman lui aussi inachevé.
- *Les Fausses Confidences* (1737), comédie en trois actes.

Marivaux en 10 dates

1698 La famille Carlet quitte Paris et s'installe à Riom (en Auvergne). Pierre entre au collège des Oratoriens.

1710 S'inscrit à la faculté de droit de Paris mais se consacre vite à la littérature et rejoint le clan des Modernes contre les Anciens.

1717 Épouse Colombe Bologne et simplifie son nom d'auteur en Marivaux. Ils ont une fille deux ans plus tard.

1720 **Découvre, à Paris, la troupe des Comédiens-Italiens. C'est le début d'une collaboration qui durera vingt ans. Est ruiné à la suite de la faillite de Law.**

1723 Perd sa femme et élève seul sa fille. Se consacre entièrement à la littérature.

1725 **Grand succès de *L'Île des esclaves* au Théâtre-Italien.**

1730 Journaliste réputé et auteur à succès, fréquente le salon de Madame de Tencin et donne *Le Jeu de l'amour et du hasard* au Théâtre-Français (autre nom de la Comédie-Française).

1742 **Est élu à l'Académie française de préférence à Voltaire.**

1745 Supporte difficilement l'entrée de sa fille au couvent et se retire progressivement de la vie mondaine.

1763 Décède, le 12 février, d'une pleurésie.

L'ISLE
DES ESCLAVES,
COMÉDIE
en un Acte,

REPRESENTÉE POUR LA PREMIERE
fois par les Comédiens Italiens du Roy,
le Lundy 5. Mars 1725.

A PARIS,
Chez { NOEL PISSOT, Quay des Augustins, à la descente du Pont-neuf, à la Croix d'or.
PIERRE DELORME, rue du Foin, à Sainte Geneviève.
FRANÇOIS FLAHAUT, Quay des Augustins, au coin de la rue Pavée, au Roy de Portugal.

M. DCC. XXV.
Avec Approbation, & Privilège du Roy.

L'Île des esclaves

Première représentation : 5 mars 1725

Date de publication : 1725

Genre : comédie en un acte et en prose

Tonalité dominante : comique

Mouvement littéraire : les Lumières

Fac-similé de la page de titre de l'édition originale.

PRÉSENTATION

En 1725, le thème de l'île, les récits de voyage formateurs, les fictions moralisatrices et les utopies sont à la mode. Tandis que ses contemporains associent le mot *esclave* au commerce triangulaire florissant, Marivaux, situant ce mot dans le contexte de la Grèce antique, écrit *L'Île des esclaves*. Il met en scène trois personnages aux noms grecs (Iphicrate, Euphrosine et Cléanthis) et deux valets de la *commedia dell'arte* (Arlequin et Trivelin). La pièce obtient un grand succès.

THÈMES TRAITÉS

▶ Le comportement des mondains

Dans la tradition de la comédie latine et de Molière, Marivaux se fait moraliste pour dénoncer le comportement superficiel de la haute société. Dans les salons, l'amour est un jeu mondain, et les femmes, héritières des précieuses du siècle précédent, se soucient, avant tout, de leur apparence et du regard des autres.

▶ Hiérarchie sociale et abus de pouvoir

Marivaux imagine une île où les esclaves détiennent l'autorité. Maîtres et esclaves qui viennent d'arriver doivent donc échanger leurs statuts sociaux. Avec cette inversion et le rappel de la vie menée à Athènes par les quatre naufragés, Marivaux dénonce les abus de pouvoir des maîtres sans remettre en cause pour autant le principe d'une hiérarchie sociale.

Les valeurs morales

L'expérience de l'inversion, destinée à corriger les maîtres et à donner la parole aux esclaves, amène les quatre naufragés à comprendre que le respect de l'autre et la compassion sont plus importants qu'une hiérarchie sociale nécessaire mais arbitraire.

POUR COMPRENDRE L'ŒUVRE

Une utopie

Dans la continuité de l'île Utopia imaginée par Thomas More en 1516, Marivaux utilise l'espace fermé de la scène pour en faire un lieu à l'écart du monde, idéal pour s'affranchir des codes et explorer les possibilités de la liberté.

Une comédie à la manière des Italiens

Quand le décor est une île sans nom où se croisent l'Antiquité grecque et la *commedia dell'arte*, la fantaisie est au programme. Dans cette courte pièce enlevée, le procédé du « théâtre dans le théâtre » permet la multiplication des *lazzis* (jeux de scène du théâtre italien).

Une comédie faussement légère

Si l'inversion, les *lazzis* et le théâtre dans le théâtre rappellent l'univers comique du carnaval, le dénouement en deux temps, l'évolution des personnages et la finesse des analyses questionnent les relations entre les hommes et inscrivent la pièce dans le Siècle des lumières commençant.

LES CRITIQUES

« En approfondissant le travail sur le texte, il m'est alors apparu que Marivaux propose bien une révolution en ce début de XVIIIᵉ siècle. Non pas politique, mais morale. »

Benjamin Jungers, extrait du dossier de presse de sa mise en scène à la Comédie-Française en 2014.

« Marivaux n'est pas un passeur dans l'histoire du théâtre français, il fait des ronds tout seul, dans sa petite barque fleurie, au milieu du lac tiède de la mièvrerie. »

Christophe Barbier, *Dictionnaire amoureux du théâtre*, Plon, 2015.

INFLUENCES

L'île

- Thomas More, *Utopia* (1516).
- Daniel Defoe, *Robinson Crusoé* (1719).

Le valet de comédie

- Arlequin et la *commedia dell'arte* (XVIᵉ siècle).
- Molière, *Dom Juan* (1665), pour les relations maître/valet.
- Molière, *Les Fourberies de Scapin* (1671), pour le travestissement.

AU MÊME MOMENT

- En 1723, début du règne de Louis XV.
- En 1724, le roi promulgue une 2ᵉ édition du Code noir. Cet édit royal, paru en 1685, est un texte juridique sur l'esclavage et la condition d'esclave.

L'Île des esclaves (1725) de Marivaux

- Jonathan Swift, *Les Voyages de Gulliver* (1726).
- Abbé Prévost, *Manon Lescaut* (1731).
- Voltaire, *Zaïre* (tragédie, 1732).

Les Quatre Saisons (1725), concerto d'Antonio Vivaldi.

PROLONGEMENTS

Œuvre engagée

- En 1751, début de l'*Encyclopédie*, dirigée par Diderot et d'Alembert.
- Voltaire, *Candide* (1759).
- *Metropolis*, film allemand de Fritz Lang (1927).

L'île

- Jean Giraudoux, *Suzanne et le Pacifique* (1921).
- Michel Tournier, *Vendredi ou les Limbes du Pacifique* (1967).

Maître et valet

- Beaumarchais, *Le Mariage de Figaro* (1784).
- Victor Hugo, *Ruy Blas* (1838).
- Jean Genet, *Les Bonnes* (1947).

L'Île des esclaves

Comédie en un acte,
représentée pour la première fois
par les Comédiens-Italiens du roi,
le lundi 5 mars 1725.

PERSONNAGES

IPHICRATE[1].
ARLEQUIN[2].
EUPHROSINE[3].
CLÉANTHIS[4].
TRIVELIN[5].
DES HABITANTS DE L'ÎLE.

La scène est dans l'île des Esclaves.

Le théâtre représente une mer et des rochers d'un côté, et de l'autre quelques arbres et des maisons.

Notes

1. Iphicrate : maître d'Arlequin (nom grec).
2. Arlequin : esclave d'Iphicrate ; personnage de la *commedia dell'arte*.
3. Euphrosine : maîtresse de Cléanthis (nom grec).

4. Cléanthis : servante au nom grec d'Euphrosine.
5. Trivelin : représentant de l'île ; personnage de la *commedia dell'arte*.

SCÈNE 1

IPHICRATE *s'avance tristement sur le théâtre avec* ARLEQUIN.

1 IPHICRATE, *après avoir soupiré.* – Arlequin ?

ARLEQUIN, *avec une bouteille de vin qu'il a à sa ceinture.* – Mon patron.

IPHICRATE – Que deviendrons-nous dans cette île ?

5 ARLEQUIN – Nous deviendrons maigres, étiques[1], et puis morts de faim : voilà mon sentiment[2] et notre histoire.

IPHICRATE – Nous sommes seuls échappés[3] du naufrage ; tous nos camarades ont péri, et j'envie maintenant leur sort.

ARLEQUIN – Hélas ! ils sont noyés dans la mer, et nous avons la
10 même commodité[4].

IPHICRATE – Dis-moi ; quand notre vaisseau s'est brisé contre le rocher, quelques-uns des nôtres ont eu le temps de se jeter dans la chaloupe[5] ; il est vrai que les vagues l'ont enveloppée, je ne sais ce qu'elle est devenue ; mais peut-être auront-ils eu
15 le bonheur d'aborder en quelque endroit de l'île, et je suis d'avis que nous les cherchions.

Notes

1. **étiques** : très maigres.
2. **sentiment** : opinion, avis.
3. **échappés** : rescapés.

4. **commodité** : possibilité.
5. **chaloupe** : barque de secours à rames.

ARLEQUIN – Cherchons, il n'y a pas de mal à cela ; mais repo-sons-nous auparavant pour boire un petit coup d'eau-de-vie : j'ai sauvé ma pauvre bouteille, la voilà ; j'en boirai les deux
20 tiers, comme de raison[1], et puis je vous donnerai le reste.

IPHICRATE – Eh, ne perdons point de temps, suis-moi, ne né-gligeons rien pour nous tirer[2] d'ici ; si je ne me sauve[3], je suis perdu, je ne reverrai jamais Athènes, car nous sommes dans l'île des Esclaves.

25 ARLEQUIN – Oh, oh ! qu'est-ce que c'est que cette race-là ?

IPHICRATE – Ce sont des esclaves de la Grèce révoltés contre leurs maîtres, et qui depuis cent ans[4] sont venus s'établir dans une île, et je crois que c'est ici : tiens, voici sans doute quelques-unes de leurs cases[5] ; et leur coutume, mon cher
30 Arlequin, est de tuer tous les maîtres qu'ils rencontrent, ou de les jeter dans l'esclavage.

ARLEQUIN – Eh ! Chaque pays a sa coutume : ils tuent les maîtres, à la bonne heure[6], je l'ai entendu dire aussi ; mais on dit qu'ils ne font rien aux esclaves comme moi.

35 IPHICRATE – Cela est vrai.

ARLEQUIN – Eh ! encore vit-on[7].

IPHICRATE – Mais je suis en danger de perdre la liberté, et peut-être la vie ; Arlequin, cela ne suffit-il pas pour me plaindre ?

ARLEQUIN, *prenant sa bouteille pour boire.* – Ah ! Je vous plains de
40 tout mon cœur, cela est juste.

IPHICRATE – Suis-moi donc ?

ARLEQUIN *siffle.* – Hu, hu, hu.

Notes

1. **comme de raison** : parce que cela est raisonnable.
2. **nous tirer** : nous en aller.
3. **si je ne me sauve** : si je ne parviens pas à me sauver.
4. **depuis cent ans** : il y a cent ans.

5. **cases** : cabanes des habitants de l'île.
6. **à la bonne heure** : exclamation de surprise ou d'enthousiasme.
7. **encore vit-on** : au moins nous sommes vivants.

IPHICRATE – Comment donc, que veux-tu dire ?

ARLEQUIN *distrait chante.* – Tala ta lara.

45 IPHICRATE – Parle donc, as-tu perdu l'esprit, à quoi penses-tu ?

ARLEQUIN, *riant.* – Ah, ah, ah, monsieur Iphicrate, la drôle
d'aventure ; je vous plains, par ma foi, mais je ne saurais[1]
m'empêcher d'en rire.

IPHICRATE, *à part les premiers mots.* – Le coquin abuse de ma
50 situation, j'ai mal fait de lui dire où nous sommes. Arlequin,
ta gaieté ne vient pas à propos[2], marchons de ce côté.

ARLEQUIN – J'ai les jambes si engourdies.

IPHICRATE – Avançons, je t'en prie.

ARLEQUIN – Je t'en prie, je t'en prie ; comme vous êtes civil[3] et
55 poli ; c'est l'air du pays qui fait cela.

IPHICRATE – Allons, hâtons-nous, faisons seulement une demi-
lieue[4] sur la côte pour chercher notre chaloupe, que nous
trouverons peut-être avec une partie de nos gens[5] ; et en ce
cas-là, nous nous rembarquerons avec eux.

60 ARLEQUIN, *en badinant*[6]. – Badin[7], comme vous tournez cela[8].
(Il chante :)

L'embarquement est divin,
Quand on vogue, vogue, vogue ;
L'embarquement est divin
65 Quand on vogue avec Catin[9].

IPHICRATE, *retenant sa colère.* – Mais je ne te comprends point,
mon cher Arlequin.

Notes

1. **je ne saurais** : je ne peux.
2. **ne vient pas à propos** : est déplacée.
3. **civil** : aimable.
4. **demi-lieue** : environ 2 km.
5. **nos gens** : les personnes qui sont à mon service.
6. *en badinant* : sur un ton léger.

7. **Badin** : qui aime rire.
8. **comme vous tournez cela** : comme vous dites cela.
9. **Catin** : diminutif de *Catherine*, mais aussi terme populaire pour désigner une prostituée.

ARLEQUIN – Mon cher patron, vos compliments me char-
ment ; vous avez coutume de m'en faire à coups de gourdin[1]
70 qui ne valent pas ceux-là, et le gourdin est dans la chaloupe.

IPHICRATE – Eh ne sais-tu pas que je t'aime ?

ARLEQUIN – Oui ; mais les marques de votre amitié tombent
toujours sur mes épaules, et cela est mal placé. Ainsi tenez,
pour ce qui est de nos gens, que le Ciel les bénisse ; s'ils sont
75 morts, en voilà pour longtemps[2] ; s'ils sont en vie, cela se passera[3], et je m'en goberge[4].

IPHICRATE, *un peu ému.* – Mais j'ai besoin d'eux, moi.

ARLEQUIN, *indifféremment.* – Oh, cela se peut bien[5], chacun a
ses affaires ; que je ne vous dérange pas.

80 IPHICRATE – Esclave insolent !

ARLEQUIN, *riant.* – Ah ah, vous parlez la langue d'Athènes,
mauvais jargon[6] que je n'entends[7] plus.

IPHICRATE – Méconnais-tu ton maître[8], et n'es-tu plus mon
esclave ?

85 ARLEQUIN, *se reculant d'un air sérieux.* – Je l'ai été, je le confesse
à ta honte ; mais va, je te le pardonne : les hommes ne valent
rien. Dans le pays d'Athènes j'étais ton esclave, tu me traitais
comme un pauvre animal, et tu disais que cela était juste,
parce que tu étais le plus fort. Eh bien, Iphicrate, tu vas trou-
90 ver ici plus fort que toi ; on va te faire esclave à ton tour ;
on te dira aussi que cela est juste, et nous verrons ce que tu
penseras de cette justice-là, tu m'en diras ton sentiment[9], je
t'attends là[10]. Quand tu auras souffert, tu seras plus raisonnable, tu sauras mieux ce qu'il est permis de faire souffrir

---

Notes

1. **gourdin** : gros bâton destiné à frapper.
2. **en voilà pour longtemps** : c'est pour
longtemps.
3. **cela se passera** : cela ne durera pas.
4. **goberge** : moque.
5. **cela se peut bien** : c'est possible.

6. **jargon** : langue incompréhensible.
7. **n'entends** : ne comprends.
8. **Méconnais-tu ton maître [...] ?** :
ne sais-tu plus que je suis ton maître ?
9. **sentiment** : opinion, avis.
10. **je t'attends là** : j'attends ton avis.

aux autres. Tout en irait mieux dans le monde, si ceux qui te ressemblent recevaient la même leçon que toi. Adieu, mon ami, je vais trouver mes camarades et tes maîtres.

Il s'éloigne.

IPHICRATE, *au désespoir, courant après lui l'épée à la main.* – Juste Ciel ! Peut-on être plus malheureux et plus outragé[1] que je le suis ? Misérable, tu ne mérites pas de vivre.

ARLEQUIN – Doucement ; tes forces sont bien diminuées, car je ne t'obéis plus, prends-y garde.

Note
1. outragé : blessé dans son honneur.

Une scène d'exposition
Analyse de la scène 1 (pp. 11 à 15)

INFORMER...

Les attentes de la scène d'ouverture

- Après le titre de l'œuvre qui amène le spectateur à émettre des hypothèses, la scène d'exposition fournit les informations nécessaires à la compréhension de la pièce en posant le cadre de l'action.
- Elle répond aux interrogations du spectateur : **où** et **quand** l'intrigue se déroule-t-elle ? qui sont les **personnages** et quel **problème** se pose ?
- La scène d'exposition peut suggérer des lieux ou des moments extérieurs à l'espace scénique afin de donner l'illusion que le décor planté est réel et que l'histoire a déjà commencé avant le lever de rideau.

1 De quelles informations le spectateur dispose-t-il quant au lieu de l'intrigue lorsque le rideau se lève ?

2 Quelles impressions produit ce lieu sur les personnages et sur le spectateur ? Appuyez-vous sur la didascalie initiale (p. 11) et l'ensemble de la scène pour répondre.

3 À quelle époque l'intrigue se déroule-t-elle ? Le contexte historique vous semble-t-il réaliste ? Quel est l'effet produit ?

4 Quels événements ont eu lieu avant le lever de rideau ? En quoi l'évocation de ces actions antérieures contribue-t-elle à créer une illusion de réel ?

5 Qui sont les deux personnages présents ? Quel est leur lien ? À quel problème se trouvent-ils confrontés ?

... SÉDUIRE...

Le dynamisme de la scène d'ouverture

• La scène d'exposition, notamment dans la comédie, doit être **dynamique** pour capter l'attention des spectateurs. Dans son *Art poétique* (1674), Nicolas Boileau écrit : « *Que, dès les premiers vers, l'action préparée / Sans peine du sujet aplanisse l'entrée.* »

• Différents **procédés** peuvent contribuer à rendre tonique l'ouverture d'une comédie : brièveté des répliques, variation des modalités (déclarative, interrogative, exclamative, impérative), formes variées de comiques, décalages...

6 En quoi le spectateur peut-il être surpris et séduit par le décor et la situation temporelle de l'intrigue ?

7 Quelle information provoque un changement important dans la scène ? En quoi est-elle déterminante pour la suite de l'intrigue ?

8 Par quels procédés les répliques contribuent-elles à dynamiser la scène d'exposition ?

Les sources du comique

• Comique de situation : nœud de l'intrigue, quiproquos...
• Comique de gestes : jeux de scène, mouvements, mimiques...
• Comique de caractère : traits de caractère très marqués...
• Comique de mots : jeux de mots, accents...

9 En quoi cette première scène est-elle comique ?

... ET PROPOSER UNE RÉFLEXION SUR LA SOCIÉTÉ

10 Montrez qu'Arlequin s'affranchit de son maître au cours de la scène.

11 En quoi Iphicrate reste-t-il inchangé tout au long de la scène ? Quelle modification perçoit-on, toutefois, dans sa façon de s'adresser à son valet ?

12 Commentez la didascalie* qui introduit la dernière longue réplique d'Arlequin (l. 85 à 97, pp. 14-15). Quels sont les différents temps employés dans cette réplique? Qu'en déduisez-vous?

*Didascalie : indication qui concerne la mise en scène et le jeu des comédiens.

13 Que dénonce Marivaux lorsqu'il fait parler sérieusement Arlequin (l. 85 à 97, pp. 14-15)?

14 Qui prononce la dernière réplique de la scène? Quelles questions le spectateur se pose-t-il alors quant au devenir des relations entre les deux personnages? Quelles réflexions sur les relations sociales à son époque Marivaux exprime-t-il ici?

15 En vous appuyant sur vos réponses à ce questionnaire, rédigez un commentaire organisé montrant en quoi ce passage remplit sa fonction de scène d'exposition et amorce une réflexion sur la société.

GRAMMAIRE

Les pronoms

Les pronoms sont des substituts. Ils peuvent aussi représenter la personne qui parle et son destinataire.
On distingue les pronoms personnels (sujets et compléments), possessifs (ex. : *le mien*), démonstratifs (ex. : *celui*), indéfinis (ex. : *l'un*), relatifs (ex. : *dont*), interrogatifs (ex. : *quoi*).

16 Relevez les pronoms dans la phrase «*Je l'ai été, je le confesse à ta honte; mais va, je te le pardonne : les hommes ne valent rien*». Précisez la nature et la fonction de chacun d'eux.

LIRE L'IMAGE

17 En quoi l'attitude des deux personnages dans la mise en scène d'Irina Brook rend-elle compte de la situation à la fin de la scène 1?

Document **1**
au verso de la couverture

Antoine Watteau, *Pèlerinage à l'île de Cythère* (1717).

SCÈNE 2

Trivelin *avec cinq ou six insulaires*[1] *arrive conduisant une Dame*[2] *et la suivante*[3]*, et ils accourent à* Iphicrate *qu'ils voient l'épée à la main.*

1 Trivelin, *faisant saisir et désarmer Iphicrate par ses gens.* – Arrêtez, que voulez-vous faire ?

Iphicrate – Punir l'insolence de mon esclave.

Trivelin – Votre esclave ? vous vous trompez, et l'on vous
5 apprendra à corriger vos termes[4]. *(Il prend l'épée d'Iphicrate et la donne à Arlequin.)* Prenez cette épée, mon camarade, elle est à vous.

Arlequin – Que le Ciel vous tienne gaillard[5], brave camarade que vous êtes.

10 Trivelin – Comment vous appelez-vous ?

Arlequin – Est-ce mon nom que vous demandez ?

Trivelin – Oui vraiment.

Arlequin – Je n'en ai point, mon camarade.

Trivelin – Quoi donc, vous n'en avez pas ?

Notes

1. *insulaires* : habitants de l'île.
2. *Dame* : femme de haut rang.
3. *la suivante* : sa servante.

4. termes : paroles.
5. gaillard : en pleine forme, de bonne humeur.

15 ARLEQUIN – Non, mon camarade, je n'ai que des sobriquets[1] qu'il m'a donnés ; il m'appelle quelquefois Arlequin, quelquefois Hé.

TRIVELIN – Hé, le terme est sans façon[2] ; je reconnais ces messieurs à de pareilles licences[3] ; et lui, comment s'appelle-t-il ?

20 ARLEQUIN – Oh, diantre[4] ! il s'appelle par un nom, lui ; c'est le seigneur Iphicrate.

TRIVELIN – Eh bien, changez de nom à présent ; soyez le seigneur Iphicrate à votre tour ; et vous, Iphicrate, appelez-vous Arlequin, ou bien Hé.

25 ARLEQUIN, *sautant de joie, à son maître.* – Oh, oh, que nous allons rire ! seigneur Hé.

TRIVELIN, *à Arlequin.* Souvenez-vous en prenant son nom, mon cher ami, qu'on vous le donne bien moins pour réjouir votre vanité[5] que pour le corriger de son orgueil.

30 ARLEQUIN – Oui, oui, corrigeons, corrigeons.

IPHICRATE, *regardant Arlequin.* – Maraud[6] !

ARLEQUIN – Parlez donc, mon bon ami, voilà encore une licence qui lui prend ; cela est-il du jeu[7] ?

TRIVELIN, *à Arlequin.* – Dans ce moment-ci, il peut vous dire
35 tout ce qu'il voudra. *(À Iphicrate :)* Arlequin, votre aventure vous afflige[8], et vous êtes outré[9] contre Iphicrate et contre nous. Ne vous gênez point, soulagez-vous par l'emportement[10] le plus vif ; traitez-le de misérable et nous aussi, tout vous est permis à présent : mais ce moment-ci passé, n'ou-

---

Notes

1. **sobriquets** : surnoms moqueurs.
2. **sans façon** : sans prétention.
3. **licences** : manquements aux règles.
4. **diantre** : interjection, déformation de *diable.*
5. **vanité** : satisfaction personnelle, sentiment de supériorité affiché.

6. **Maraud** : vaurien.
7. **du jeu** : conforme à la règle.
8. **afflige** : fait souffrir.
9. **outré** : indigné, en colère.
10. **l'emportement** : la colère.

40 bliez pas que vous êtes Arlequin, que voici Iphicrate, et que vous êtes auprès de lui ce qu'il était auprès de vous : ce sont là nos lois, et ma charge dans la République est de les faire observer en ce canton-ci[1].

ARLEQUIN – Ah, la belle charge[2] !

45 IPHICRATE – Moi, l'esclave de ce misérable !

TRIVELIN – Il a bien été le vôtre.

ARLEQUIN – Hélas ! il n'a qu'à être bien obéissant, j'aurai mille bontés pour lui.

IPHICRATE – Vous me donnez la liberté de lui dire ce qu'il me
50 plaira, ce n'est pas assez ; qu'on m'accorde encore un bâton.

ARLEQUIN – Camarade, il demande à parler à mon dos, et je le mets sous la protection de la République, au moins.

TRIVELIN – Ne craignez rien.

CLÉANTHIS, *à Trivelin*. – Monsieur, je suis esclave aussi, moi, et
55 du même vaisseau ; ne m'oubliez pas, s'il vous plaît.

TRIVELIN – Non, ma belle enfant ; j'ai bien connu[3] votre condition[4] à votre habit, et j'allais vous parler de ce qui vous regarde[5], quand je l'ai vu l'épée à la main : laissez-moi achever ce que j'avais à dire. Arlequin ?

60 ARLEQUIN, *croyant qu'on l'appelle*. – Eh... À propos, je m'appelle Iphicrate.

TRIVELIN, *continuant*. – Tâchez de vous calmer, vous savez qui nous sommes, sans doute.

ARLEQUIN – Oh morbleu[6], d'aimables gens.

65 CLÉANTHIS – Et raisonnables.

TRIVELIN – Ne m'interrompez point, mes enfants. Je pense donc que vous savez qui nous sommes. Quand nos pères[1] irrités de la cruauté de leurs maîtres quittèrent la Grèce et vinrent s'établir ici, dans le ressentiment[2] des outrages[3] qu'ils
70 avaient reçus de leurs patrons, la première loi qu'ils y firent fut d'ôter la vie à tous les maîtres que le hasard ou le naufrage conduirait dans leur île, et conséquemment[4] de rendre la liberté à tous les esclaves : la vengeance avait dicté cette loi ; vingt ans après, la raison l'abolit[5] et en dicta une plus douce.
75 Nous ne nous vengeons plus de vous, nous vous corrigeons ; ce n'est plus votre vie que nous poursuivons, c'est la barbarie de vos cœurs que nous voulons détruire ; nous vous jetons dans l'esclavage pour vous rendre sensibles aux maux qu'on y éprouve ; nous vous humilions, afin que, nous trouvant
80 superbes[6], vous vous reprochiez de l'avoir été. Votre esclavage, ou plutôt votre cours d'humanité dure trois ans, au bout desquels on vous renvoie, si vos maîtres sont contents de vos progrès : et si vous ne devenez pas meilleurs, nous vous retenons par charité pour les nouveaux malheureux que
85 vous iriez faire encore ailleurs ; et par bonté pour vous, nous vous marions avec une de nos citoyennes[7]. Ce sont là nos lois à cet égard[8], mettez à profit leur rigueur salutaire[9]. Remerciez le sort[10] qui vous conduit ici ; il vous remet en nos mains, durs, injustes et superbes. Vous voilà en mauvais état, nous
90 entreprenons de vous guérir ; vous êtes moins nos esclaves que nos malades, et nous ne prenons que trois ans pour vous

---

rendre sains[1], c'est-à-dire humains, raisonnables et généreux pour toute votre vie.

ARLEQUIN – Et le tout *gratis*, sans purgation[2] ni saignée[3]. Peut-on de la santé à meilleur compte ?[4]

TRIVELIN – Au reste, ne cherchez point à vous sauver de ces lieux, vous le tenteriez sans succès, et vous feriez votre fortune[5] plus mauvaise : commencez votre nouveau régime de vie par la patience.

ARLEQUIN – Dès que c'est pour son bien, qu'y a-t-il à dire ?

TRIVELIN, *aux esclaves*. – Quant à vous, mes enfants, qui devenez libres et citoyens, Iphicrate habitera cette case avec le nouvel Arlequin, et cette belle fille demeurera dans l'autre : vous aurez soin de changer d'habit ensemble ; c'est l'ordre. *(À Arlequin :)* Passez maintenant dans une maison qui est à côté, où l'on vous donnera à manger, si vous en avez besoin. Je vous apprends, au reste[6], que vous avez huit jours à vous réjouir du changement de votre état ; après quoi l'on vous donnera, comme à tout le monde, une occupation convenable. Allez, je vous attends ici. *(Aux insulaires :)* Qu'on les conduise. *(Aux femmes :)* Et vous autres, restez.

Arlequin en s'en allant fait de grandes révérences à Cléanthis.

SCÈNE 3

TRIVELIN, CLÉANTHIS *esclave*, EUPHROSINE *sa maîtresse*.

1 TRIVELIN – Ah çà, ma compatriote ; car je regarde désormais notre île comme votre patrie ; dites-moi aussi votre nom ?

CLÉANTHIS, *saluant*. – Je m'appelle Cléanthis, et elle Euphrosine.

5 TRIVELIN – Cléanthis ; passe pour cela[1].

CLÉANTHIS – J'ai aussi des surnoms ; vous plaît-il de les savoir ?

TRIVELIN – Oui-da[2]. Et quels sont-ils ?

CLÉANTHIS – J'en ai une liste : Sotte, Ridicule, Bête, Butorde[3], Imbécile, *et cætera*.

10 EUPHROSINE, *en soupirant*. – Impertinente[4] que vous êtes !

CLÉANTHIS – Tenez, tenez, en voilà encore un que j'oubliais.

TRIVELIN – Effectivement, elle vous prend sur le fait. Dans votre pays, Euphrosine, on a bientôt[5] dit des injures à ceux à qui l'on en peut dire impunément[6].

Notes

1. **passe pour cela** : c'est acceptable.
2. **Oui-da** : oui, certainement.
3. **Butorde** : fille mal élevée.
4. **Impertinente** : insolente.
5. **bientôt** : vite.
6. **impunément** : sans être puni.

15   EUPHROSINE – Hélas ! que voulez-vous que je lui réponde, dans l'étrange[1] aventure où je me trouve ?

CLÉANTHIS – Oh dame, il n'est plus si aisé de me répondre[2]. Autrefois il n'y avait rien de si commode ; on n'avait affaire qu'à de pauvres gens : fallait-il tant de cérémonies ? Faites
20   cela, je le veux ; taisez-vous, sotte : voilà qui était fini. Mais à présent il faut parler raison[3] : c'est un langage étranger pour Madame, elle l'apprendra avec le temps ; il faut se donner patience : je ferai de mon mieux pour l'avancer[4].

TRIVELIN, à Cléanthis. – Modérez-vous, Euphrosine. *(À Eu-*
25   *phrosine :)* Et vous, Cléanthis, ne vous abandonnez point à votre douleur. Je ne puis changer nos lois, ni vous en affranchir[5] : je vous ai montré combien elles étaient louables et salutaires pour vous.

CLÉANTHIS – Hum ! Elle me trompera[6] bien si elle amende[7].

30   TRIVELIN – Mais comme vous êtes d'un sexe naturellement assez faible, et que par là vous avez dû céder plus facilement qu'un homme aux exemples de hauteur[8], de mépris et de dureté qu'on vous a donnés chez vous contre leurs pareils, tout ce que je puis faire pour vous, c'est de prier Euphrosine
35   de peser[9] avec bonté les torts que vous avez avec elle, afin de les peser avec justice.

CLÉANTHIS – Oh ! tenez, tout cela est trop savant pour moi, je n'y comprends rien ; j'irai le grand chemin[10], je pèserai comme elle pesait ; ce qui viendra, nous le prendrons.

Notes

1. l'étrange : la scandaleuse.
2. il n'est plus si aisé de me répondre : il n'est plus aussi facile (qu'autrefois) de me répondre.
3. parler raison : tenir des propos raisonnables.
4. pour l'avancer : pour qu'elle progresse.
5. affranchir : libérer.

6. me trompera : m'étonnera.
7. amende : s'amende, reconnaît ses erreurs.
8. hauteur : prétention.
9. peser : considérer, juger.
10. j'irai le grand chemin : je ne me compliquerai pas l'existence, je ferai au plus simple.

TRIVELIN – Doucement, point de vengeance.

CLÉANTHIS – Mais, notre bon ami, au bout du compte, vous parlez de son sexe ; elle a le défaut d'être faible, je lui en offre autant ; je n'ai pas la vertu[1] d'être forte. S'il faut que j'excuse toutes ses mauvaises manières à mon égard, il faudra donc qu'elle excuse aussi la rancune que j'en ai contre elle ; car je suis femme autant qu'elle, moi : voyons, qui est-ce qui décidera ? Ne suis-je pas la maîtresse, une fois[2] ? Eh bien, qu'elle commence toujours par excuser ma rancune ; et puis, moi, je lui pardonnerai quand je pourrai ce qu'elle m'a fait : qu'elle attende.

EUPHROSINE, *à Trivelin*. – Quels discours ! Faut-il que vous m'exposiez à les entendre !

CLÉANTHIS – Souffrez[3]-les, Madame ; c'est le fruit de vos œuvres[4].

TRIVELIN – Allons, Euphrosine, modérez-vous.

CLÉANTHIS – Que voulez-vous que je vous dise : quand on a de la colère, il n'y a rien de tel pour la passer que de la contenter[5] un peu, voyez-vous ; quand je l'aurai querellée à mon aise une douzaine de fois seulement, elle en sera quitte[6] ; mais il me faut cela.

TRIVELIN, *à part, à Euphrosine*. – Il faut que ceci ait son cours[7] ; mais consolez-vous, cela finira plus tôt que vous ne pensez. *(À Cléanthis :)* J'espère, Euphrosine, que vous perdrez votre ressentiment[8], et je vous y exhorte[9] en ami. Venons maintenant à l'examen de son caractère : il est nécessaire que vous m'en donniez un portrait qui se doit faire devant la personne qu'on peint, afin qu'elle se connaisse, qu'elle rougisse de ses

---

Notes

1. **vertu** : qualité.
2. **une fois** : une bonne fois pour toutes.
3. **Souffrez** : supportez.
4. **œuvres** : actions.
5. **contenter** : satisfaire.

6. **en sera quitte** : sera libérée de ses dettes.
7. **ait son cours** : se déroule ainsi.
8. **ressentiment** : rancune.
9. **exhorte** : invite.

ridicules, si elle en a, et qu'elle se corrige. Nous avons là de bonnes intentions, comme vous voyez. Allons, commençons.

70 CLÉANTHIS – Oh que cela est bien inventé ! Allons, me voilà prête ; interrogez-moi, je suis dans mon fort[1].

EUPHROSINE, *doucement*. – Je vous prie, Monsieur, que je me retire[2], et que je n'entende point ce qu'elle va dire.

TRIVELIN – Hélas ! ma chère dame, cela n'est fait que pour
75 vous ; il faut que vous soyez présente.

CLÉANTHIS – Restez, restez, un peu de honte est bientôt passé.

TRIVELIN – Vaine[3], minaudière[4] et coquette, voilà d'abord à peu près sur quoi je vais vous interroger au hasard. Cela la regarde-t-il ?[5]

80 CLÉANTHIS – « Vaine, minaudière et coquette », si cela la regarde ? Eh voilà ma chère maîtresse ! cela lui ressemble comme son visage.

EUPHROSINE – N'en voilà-t-il pas assez, Monsieur ?

TRIVELIN – Ah, je vous félicite du petit embarras que cela vous
85 donne ; vous sentez[6], c'est bon signe, et j'en augure bien[7] pour l'avenir : mais ce ne sont encore là que les grands traits ; détaillons un peu cela. En quoi donc, par exemple, lui trouvez-vous les défauts dont nous parlons ?

CLÉANTHIS – En quoi ? partout, à toute heure, en tous lieux ; je
90 vous ai dit de m'interroger ; mais par où commencer, je n'en sais rien, je m'y perds ; il y a tant de choses, j'en ai tant vu, tant remarqué de toutes les espèces, que cela me brouille[8]. Madame se tait, Madame parle ; elle regarde, elle est triste,

---

Notes

1. **mon fort** : domaine où je suis à l'aise.
2. **Je vous prie [...] que je me retire** : permettez que je m'en aille.
3. **Vaine** : vaniteuse.
4. **minaudière** : qui fait des manières, poseuse.

5. **Cela la regarde-t-il ?** : cela lui ressemble-t-il ?
6. **sentez** : éprouvez des sentiments.
7. **j'en augure bien** : j'y vois un signe positif.
8. **me brouille** : m'embrouille.

elle est gaie : silence, discours, regards, tristesse et joie : c'est
tout un, il n'y a que la couleur de différente ; c'est vanité
muette, contente ou fâchée ; c'est coquetterie babillarde[1], jalouse ou curieuse ; c'est Madame, toujours vaine ou coquette
l'un après l'autre, ou tous les deux à la fois : voilà ce que c'est,
voilà par où je débute, rien que cela.

EUPHROSINE – Je n'y saurais tenir[2].

TRIVELIN – Attendez donc, ce n'est qu'un début.

CLÉANTHIS – Madame se lève, a-t-elle bien dormi, le sommeil
l'a-t-il rendue belle, se sent-elle du vif, du sémillant[3] dans les
yeux ? vite sur les armes[4], la journée sera glorieuse : qu'on
m'habille ; Madame verra du monde aujourd'hui ; elle ira aux
spectacles, aux promenades, aux assemblées[5] ; son visage peut
se manifester[6], peut soutenir[7] le grand jour, il fera plaisir à
voir, il n'y a qu'à le promener hardiment, il est en état[8], il n'y
a rien à craindre.

TRIVELIN, *à Euphrosine*. – Elle développe assez bien cela.

CLÉANTHIS – Madame, au contraire, a-t-elle mal reposé[9] : Ah !
qu'on m'apporte un miroir ? comme me voilà faite ! que je
suis mal bâtie[10] ! Cependant on se mire[11], on éprouve son
visage de toutes les façons, rien ne réussit ; des yeux battus, un
teint fatigué ; voilà qui est fini, il faut envelopper ce visage-là,
nous n'aurons que du négligé[12], Madame ne verra personne
aujourd'hui, pas même le jour, si elle peut, du moins fera-t-il

---

Notes

1. **babillarde** : qui tient des discours futiles.
2. **Je n'y saurais tenir** : je ne saurais le supporter.
3. **sémillant** : pétillant.
4. **sur les armes** : aux armes.
5. **assemblées** : réunions mondaines.
6. **se manifester** : se montrer.
7. **soutenir** : supporter.
8. **en état** : en état d'être présenté.
9. **a-t-elle mal reposé** : s'est-elle mal reposée.
10. **je suis mal bâtie** : j'ai mauvaise mine.
11. **se mire** : se regarde dans un miroir.
12. **négligé** : naturel, sans artifice.

sombre dans la chambre[1]. Cependant il vient compagnie[2], on entre : que va-t-on penser du visage de Madame ? On croira qu'elle enlaidit : donnera-t-elle ce plaisir-là à ses bonnes amies ? non, il y a remède à tout : vous allez voir. Comment vous portez-vous, Madame ? Très mal, Madame : j'ai perdu le sommeil ; il y a huit jours que je n'ai fermé l'œil ; je n'ose pas me montrer, je fais peur. Et cela veut dire : Messieurs, figurez-vous que ce n'est point moi, au moins ; ne me regardez pas ; remettez à me voir[3] ; ne me jugez pas aujourd'hui ; attendez que j'ai dormi. J'entendais[4] tout cela, moi ; car nous autres esclaves, nous sommes doués contre nos maîtres d'une pénétration[5]… Oh ! ce sont de pauvres gens pour nous.

TRIVELIN, *à Euphrosine*. – Courage, Madame ; profitez de cette peinture-là, car elle me paraît fidèle.

EUPHROSINE – Je ne sais où j'en suis.

CLÉANTHIS – Vous en êtes aux deux tiers, et j'achèverai, pourvu que cela ne vous ennuie pas.

TRIVELIN – Achevez, achevez ; Madame soutiendra[6] bien le reste.

CLÉANTHIS – Vous souvenez-vous d'un soir où vous étiez avec ce cavalier si bien fait[7] ? J'étais dans la chambre : vous vous entreteniez bas[8] ; mais j'ai l'oreille fine : vous vouliez lui plaire sans faire semblant de rien ; vous parliez d'une femme qu'il voyait souvent. Cette femme-là est aimable[9], disiez-vous ; elle a les yeux petits, mais très doux : et là-dessus vous ouvriez les vôtres, vous vous donniez des tons, des gestes de tête, de petites contorsions, des vivacités. Je riais. Vous

---

Notes

1. **chambre** : pièce privée, pas nécessairement une chambre à coucher.
2. **compagnie** : des visiteurs.
3. **remettez à me voir** : remettez à plus tard votre visite.
4. **J'entendais** : je comprenais.

5. **pénétration** : capacité à analyser finement le comportement des autres.
6. **soutiendra** : sera capable de supporter.
7. **bien fait** : beau.
8. **bas** : à voix basse.
9. **aimable** : digne d'être aimée.

réussîtes pourtant, le cavalier s'y prit[1] ; il vous offrit son cœur. À moi ? lui dites-vous. Oui, Madame, à vous-même ; à tout ce qu'il y a de plus aimable au monde. Continuez folâtre[2], continuez, dites-vous, en ôtant vos gants sous prétexte de m'en demander d'autres : mais vous avez la main belle, il la vit, il la prit, il la baisa, cela anima sa déclaration ; et c'était là les gants que vous demandiez[3]. Eh bien, y suis-je ?

TRIVELIN, *à Euphrosine*. – En vérité, elle a raison.

CLÉANTHIS – Écoutez, écoutez, voici le plus plaisant. Un jour qu'elle pouvait m'entendre, et qu'elle croyait que je ne m'en doutais pas, je parlais d'elle, et je dis : Oh pour cela, il faut l'avouer, Madame est une des plus belles femmes du monde. Que de bontés pendant huit jours ce petit mot-là ne me valut-il pas ? J'essayai en pareille occasion de dire que Madame était une femme très raisonnable : oh je n'eus rien, cela ne prit point ; et c'était bien fait, car je la flattais.

EUPHROSINE – Monsieur, je ne resterai point, ou l'on me fera rester par force ; je ne puis en souffrir[4] davantage.

TRIVELIN – En voilà donc assez pour à présent.

CLÉANTHIS – J'allais parler des vapeurs de mignardise[5] auxquelles Madame est sujette à la moindre odeur. Elle ne sait pas qu'un jour, je mis à son insu des fleurs dans la ruelle[6] de son lit pour voir ce qu'il en serait. J'attendais une vapeur, elle est encore à venir. Le lendemain en compagnie[7] une rose parut, crac, la vapeur arrive.

Notes

1. **s'y prit** : s'y laissa prendre.
2. **folâtre** : fou.
3. **c'était là les gants que vous demandiez** : formule ironique pour dire qu'en réalité Euphrosine ne voulait pas ses gants mais plutôt que le cavalier prenne sa main.

4. **souffrir** : supporter.
5. **vapeurs de mignardise** : malaises qui traduisent des manières affectées et prétentieuses.
6. **ruelle** : espace qui sépare le lit du mur.
7. **en compagnie** : en société.

TRIVELIN – Cela suffit, Euphrosine, promenez-vous un moment à quelques pas de nous, parce que j'ai quelque chose à lui dire ; elle ira vous rejoindre ensuite.

CLÉANTHIS, *s'en allant.* – Recommandez-lui d'être docile[1], au moins. Adieu, notre bon ami, je vous ai diverti, j'en suis bien aise[2] ; une autre fois je vous dirai comme quoi Madame s'abstient souvent de mettre de beaux habits, pour en mettre un négligé qui lui marque tendrement la taille. C'est encore une finesse[3] que cet habit-là ; on dirait qu'une femme qui le met ne se soucie pas de paraître : mais à d'autres ; on s'y ramasse[4] dans un corset[5] appétissant, on y montre sa bonne façon[6] naturelle ; on y dit aux gens : Regardez mes grâces, elles sont à moi celles-là ; et d'un autre côté on veut leur dire aussi : Voyez comme je m'habille, quelle simplicité, il n'y a point de coquetterie dans mon fait[7].

TRIVELIN – Mais je vous ai prié de nous laisser.

CLÉANTHIS – Je sors, et tantôt nous reprendrons le discours qui sera fort divertissant ; car vous verrez aussi comme quoi[8] Madame entre dans une loge au spectacle, avec quelle emphase[9], avec quel air imposant, quoique d'un air distrait et sans y penser ; car c'est la belle éducation qui donne cet orgueil-là. Vous verrez comme dans la loge on y jette un regard indifférent et dédaigneux[10] sur des femmes qui sont à côté, et qu'on ne connaît pas[11]. Bonjour[12], notre bon ami, je vais à notre auberge.

Notes

1. **docile** : soumise, obéissante.
2. **j'en suis bien aise** : j'en suis ravie.
3. **finesse** : ruse.
4. **ramasse** : serre.
5. **corset** : sous-vêtement qui, étroitement lacé, rend la taille plus fine.
6. **bonne façon** : beauté.
7. **dans mon fait** : dans ma façon de me comporter.
8. **comme quoi** : de quelle façon.
9. **emphase** : ici, attitude expressive.
10. **dédaigneux** : méprisant.
11. **ne connaît pas** : ne veut pas connaître.
12. **Bonjour** : façon de dire « au revoir ».

« *Vaine, minaudière et coquette* »

Analyse de l'extrait (l. 77, p. 28, à l. 172, p. 32)

TRIVELIN MÈNE LE JEU

❶ Montrez que Trivelin mène le dialogue et domine la situation.

La place d'autrui dans les propos d'un personnage

En examinant, dans les propos d'un personnage, le lexique et les indices personnels, on peut voir s'il s'intéresse à lui-même ou s'il est tourné vers les autres :
– les **indices personnels** (pronoms personnels, déterminants ou pronoms possessifs) permettent de voir si le personnage se préoccupe de lui-même *(je)* ou des autres *(tu, vous, il, elle)* ;
– le **lexique** révèle ses opinions sur les autres ou bien la distance qu'il a établie entre eux et lui.

---

❷ Quels indices lexicaux et grammaticaux montrent que ce personnage est entièrement tourné vers ses interlocuteurs ?

❸ Quel est le but de la démarche de Trivelin dans ce passage ? Quelle méthode adopte-t-il pour cela ?

LES RÉACTIONS DES DEUX FEMMES

❹ Quelles différences voyez-vous entre la présentation d'Euphrosine par Trivelin dans la première réplique du passage (l. 77 à 79) et celle faite ensuite par Cléanthis (l. 80 à 82) ? En quoi ce contraste souligne-t-il la réaction de l'esclave dans ce passage ?

❺ Par quels autres procédés Marivaux exprime-t-il la libération psychologique de Cléanthis ?

❻ Montrez que Cléanthis prend progressivement de l'assurance.

Pour exprimer les sentiments et les émotions des personnages, le genre théâtral dispose de moyens qui lui sont propres :

– les **paroles** des personnages eux-mêmes : le lexique, la syntaxe (phrases nominales, simples, complexes ; asyndètes…), les modalités (exclamative, interrogative, impérative) ;

– les **gestes** et les **visages** des comédiens : les didascalies, les répliques desquelles se dégagent implicitement des éléments de mise en scène. Ex. : *«Votre cœur s'est troublé, j'ai vu couler vos larmes»* (Racine, *Bérénice*).

7 Quels procédés théâtraux permettent à Marivaux de rendre sensible aux spectateurs la souffrance d'Euphrosine ? Quelles didascalies* pourriez-vous ajouter aux répliques de la jeune femme ?

* Didascalies : indications concernant la mise en scène et le jeu des comédiens.

L'ART DU PORTRAIT SATIRIQUE

8 À quels indices avez-vous repéré que Cléanthis est la servante d'Euphrosine ? En quoi est-ce important de le savoir dans ce passage ?

9 Quels procédés rendent vivant le portrait que Cléanthis fait de sa maîtresse Euphrosine (l. 89 à 129, pp. 28 à 30) ?

10 En quoi le portrait dressé par la servante Cléanthis, dans ses deux premières répliques, développe-t-il les trois adjectifs *« Vaine, minaudière et coquette »* avancés par Trivelin (l. 89 à 99, puis 102 à 109, pp. 28-29) ?

11 Comment, de part et d'autre de *« au contraire »* (l. 111, p. 29), Cléanthis présente-t-elle deux situations qui dénoncent l'importance accordée à l'apparence et au regard des autres ?

12 Quelles sont les occupations et les préoccupations d'Euphrosine selon Cléanthis ?

13 Dans quelle mesure le portrait d'Euphrosine par Cléanthis constitue-t-il une critique sociale ?

14 En vous appuyant sur vos réponses à ce questionnaire, rédigez un commentaire organisé expliquant en quoi cette scène montre le jeu de Trivelin et contribue à la satire sociale.

GRAMMAIRE

> **La proposition**
>
> • La proposition est un groupe de mots centré sur un verbe conjugué :
> – la **proposition indépendante** se suffit à elle-même ;
> – la **proposition principale** dirige la **proposition subordonnée**.
> [*Trivelin mène le jeu*] ; [*il fait parler Cléanthis*] [*afin qu'elle se libère*].
>   prop. indépendante   prop. principale   prop. subordonnée
> • Les propositions juxtaposées sont séparées par un signe de ponctuation (, ou ; ou :). Les propositions coordonnées sont liées par une conjonction de coordination ou un adverbe de liaison.

15 Relevez et identifiez les propositions aux lignes 93 à 98 (pp. 28-29) : « *Madame se tait*, […] *à la fois* ».

16 Relevez les adverbes dans la réplique de Cléanthis (l. 102 à 109, p. 29).

Petit souper du Régent.

SCÈNE 4

Trivelin, Euphrosine.

1 TRIVELIN – Cette scène-ci vous a un peu fatiguée[1], mais cela ne vous nuira pas.

EUPHROSINE – Vous êtes des barbares.

TRIVELIN – Nous sommes d'honnêtes gens qui vous instrui-
5 sons ; voilà tout : il vous reste encore à satisfaire à une petite formalité[2].

EUPHROSINE – Encore des formalités !

TRIVELIN – Celle-ci est moins que rien ; je dois faire rapport de tout ce que je viens d'entendre, et de tout ce que vous
10 m'allez répondre. Convenez-vous de[3] tous les sentiments co-quets[4], de toutes les singeries d'amour-propre[5] qu'elle vient de vous attribuer ?

EUPHROSINE – Moi, j'en conviendrais ! Quoi, de pareilles faus-setés sont-elles croyables ?

Notes

1. **fatiguée :** bouleversée.
2. **satisfaire à une petite formalité :** accomplir une petite formalité obligatoire.
3. **Convenez-vous de :** reconnaissez-vous.

4. **coquets :** pour plaire, séduire.
5. **amour-propre :** estime de soi, souvent associée à l'égoïsme et à l'orgueil.

15 TRIVELIN – Oh très croyables, prenez-y garde. Si vous en convenez, cela contribuera à rendre votre condition meilleure : je ne vous en dis pas davantage. On espérera que, vous étant reconnue, vous abjurerez[1] un jour toutes ces folies qui font qu'on n'aime que soi, et qui ont distrait votre bon cœur
20 d'une infinité d'attentions plus louables. Si, au contraire, vous ne convenez pas de ce qu'elle a dit, on vous regardera comme incorrigible, et cela reculera votre délivrance[2]. Voyez, consultez-vous[3].

EUPHROSINE – Ma délivrance ! Eh puis-je l'espérer ?

25 TRIVELIN – Oui, je vous la garantis aux conditions que je vous dis.

EUPHROSINE – Bientôt ?

TRIVELIN – Sans doute.

EUPHROSINE – Monsieur, faites donc comme si j'étais convenue de[4] tout.
30

TRIVELIN – Quoi, vous me conseillez de mentir ?

EUPHROSINE – En vérité, voilà d'étranges conditions, cela révolte !

TRIVELIN – Elles humilient un peu, mais cela est fort bon.
35 Déterminez-vous ; une liberté très prochaine est le prix de la vérité. Allons, ne ressemblez-vous pas au portrait qu'on a fait ?

EUPHROSINE – Mais…

TRIVELIN – Quoi ?

EUPHROSINE – Il y a du vrai, par-ci, par-là.

Notes

1. **abjurerez** : renoncerez à.
2. **délivrance** : libération.
3. **consultez-vous** : réfléchissez.
4. **convenue de** : d'accord avec.

TRIVELIN – Par-ci, par-là, n'est point notre compte[1]. Avouez-vous tous les faits ? en a-t-elle trop dit ? n'a-t-elle dit que ce qu'il faut ? Hâtez-vous, j'ai autre chose à faire.

EUPHROSINE – Vous faut-il une réponse si exacte ?

TRIVELIN – Eh oui, Madame, et le tout pour votre bien.

EUPHROSINE – Eh bien…

TRIVELIN – Après ?

EUPHROSINE – Je suis jeune…

TRIVELIN – Je ne vous demande pas votre âge.

EUPHROSINE – On est d'un certain rang[2], on aime à plaire.

TRIVELIN – Et c'est ce qui fait que le portrait vous ressemble.

EUPHROSINE – Je crois qu'oui.

TRIVELIN – Eh voilà ce qu'il nous fallait. Vous trouvez aussi le portrait un peu risible, n'est-ce pas ?

EUPHROSINE – Il faut bien l'avouer.

TRIVELIN – À merveilles : Je suis content, ma chère dame. Allez rejoindre Cléanthis ; je lui rends déjà son véritable nom, pour vous donner encore des gages[3] de ma parole. Ne vous impatientez point, montrez un peu de docilité[4], et le moment espéré arrivera.

EUPHROSINE – Je m'en fie à vous[5].

Notes

1. **n'est point notre compte** : n'est pas suffisant.
2. **un certain rang** : une condition sociale élevée.
3. **gages** : preuves.
4. **docilité** : soumission sans protestation.
5. **Je m'en fie à vous** : je vous fais confiance.

Nicolas Lancret, *Les Acteurs de la comédie italienne ou le Théâtre italien* (vers 1725-1728).

SCÈNE 5

Arlequin, Iphicrate, *qui ont changé d'habits,* Trivelin.

1   Arlequin – Tirlan, tirlan, tirlantaine, tirlanton. Gai, cama-
    rade, le vin de la République est merveilleux, j'en ai bu bra-
    vement ma pinte[1] ; car je suis si altéré[2] depuis que je suis
    maître, tantôt j'aurai encore soif pour pinte[3]. Que le Ciel
5   conserve la vigne, le vigneron, la vendange et les caves de
    notre admirable République !

Trivelin – Bon, réjouissez-vous, mon camarade. Êtes-vous
content d'Arlequin ?

Arlequin – Oui, c'est un bon enfant, j'en ferai quelque chose.
10 Il soupire[4] parfois, et je lui ai défendu cela, sous peine de
    désobéissance[5], et je lui ordonne de la joie. *(Il prend son maître
    par la main et danse.)* Tala rara la la…

Trivelin – Vous me réjouissez moi-même.

Arlequin – Oh quand je suis gai, je suis de bonne humeur.

Notes

1. **pinte** : mesure de 1 L environ.
2. **altéré** : on peut voir ici un jeu avec les deux sens possibles du mot : *transformé* et *assoiffé* (le contraire de *désaltéré*).
3. **j'aurai encore soif pour pinte** : j'aurai encore suffisamment soif pour boire un litre de vin.
4. **soupire** : pousse des soupirs de désespoir.
5. **sous peine de désobéissance** : sous peine d'être puni pour désobéissance.

15 TRIVELIN – Fort bien. Je suis charmé de vous voir satisfait d'Arlequin. Vous n'aviez pas beaucoup à vous plaindre de lui dans son pays, apparemment ?

ARLEQUIN – Hé ! Là-bas ? Je lui voulais souvent un mal de diable, car il était quelquefois insupportable : mais à cette
20 heure que[1] je suis heureux, tout est payé, je lui ai donné quittance[2].

TRIVELIN – Je vous aime de ce caractère, et vous me touchez. C'est-à-dire que vous jouirez[3] modestement de votre bonne fortune, et que vous ne lui ferez point de peine ?

25 ARLEQUIN – De la peine ? ah le pauvre homme ! Peut-être que je serai un petit brin[4] insolent, à cause que je suis le maître : voilà tout.

TRIVELIN – À cause que je suis le maître : vous avez raison.

ARLEQUIN – Oui, car, quand on est le maître, on y va tout
30 rondement sans façon[5] ; et si peu de façon mène quelquefois un honnête homme à des impertinences.

TRIVELIN – Oh, n'importe, je vois bien que vous n'êtes point méchant.

ARLEQUIN – Hélas ! je ne suis que mutin[6].

35 TRIVELIN, *à Iphicrate*. – Ne vous épouvantez point de ce que je vais dire. *(À Arlequin :)* Instruisez-moi d'une chose : comment se gouvernait-il[7] là-bas ; avait-il quelque défaut d'humeur, de caractère ?

ARLEQUIN, *riant*. – Ah ! mon camarade, vous avez de la
40 malice[8], vous demandez la comédie.

Notes

1. **à cette heure que** : maintenant que.
2. **quittance** : papier indiquant qu'une dette a été payée.
3. **jouirez** : profiterez.
4. **un petit brin** : un petit peu.

5. **sans façon** : sans manière.
6. **mutin** : ici, têtu.
7. **gouvernait-il** : comportait-il.
8. **vous avez de la malice** : vous aimez plaisanter.

TRIVELIN – Ce caractère-là est donc bien plaisant[1] ?

ARLEQUIN – Ma foi, c'est une farce[2].

TRIVELIN – N'importe, nous en rirons.

ARLEQUIN, *à Iphicrate.* – Arlequin, me promets-tu d'en rire
45 aussi ?

IPHICRATE, *bas.* – Veux-tu achever de me désespérer ; que vas-
tu lui dire ?

ARLEQUIN – Laisse-moi faire ; quand je t'aurai offensé, je te
demanderai pardon après.

50 TRIVELIN – Il ne s'agit que d'une bagatelle[3] ; j'en ai demandé
autant à la jeune fille que vous avez vue, sur le chapitre de[4]
sa maîtresse.

ARLEQUIN – Eh bien, tout ce qu'elle vous a dit, c'était des
folies qui faisaient pitié, des misères ; gageons[5] ?

55 TRIVELIN – Cela est encore vrai.

ARLEQUIN – Eh bien, je vous en offre autant, ce pauvre jeune
garçon n'en fournira pas davantage ; extravagance[6] et misère,
voilà son paquet[7] : n'est-ce pas là de belles[8] guenilles[9] pour les
étaler[10] ? étourdi[11] par nature, étourdi par singerie[12], parce que
60 les femmes les aiment comme cela ; un dissipe-tout[13] ; vilain[14]

Notes

1. **plaisant** : amusant.
2. **farce** : pièce d'origine médiévale dont le rire est plus marqué et plus grossier que dans la comédie.
3. **bagatelle** : chose de peu d'importance.
4. **sur le chapitre de** : au sujet de.
5. **gageons** : parions.
6. **extravagance** : comportement déraisonnable.
7. **voilà son paquet** : voilà ce que je peux lui reprocher.

8. **belles** : ici, l'adjectif a une valeur ironique.
9. **guenilles** : suite de la métaphore du *« paquet »*. Une métaphore est une forme de comparaison sans outil de comparaison (*comme*, etc.).
10. **étaler** : mettre au grand jour.
11. **étourdi** : irréfléchi.
12. **singerie** : imitation.
13. **dissipe-tout** : dépensier.
14. **vilain** : avare.

quand il faut être libéral[1], libéral quand il faut être vilain ; bon emprunteur, mauvais payeur ; honteux d'être sage, glorieux d'être fou ; un petit brin[2] moqueur des bonnes gens ; un petit brin hâbleur[3] ; avec tout plein de maîtresses[4] qu'il ne connaît pas : voilà mon homme. Est-ce la peine d'en tirer le portrait ? *(À Iphicrate :)* Non, je n'en ferai rien, mon ami, ne crains rien.

TRIVELIN – Cette ébauche[5] me suffit. *(À Iphicrate :)* Vous n'avez plus maintenant qu'à certifier pour véritable ce qu'il vient de dire.

IPHICRATE – Moi ?

TRIVELIN – Vous-même. La dame de tantôt[6] en a fait autant ; elle vous dira ce qui l'y a déterminée[7]. Croyez-moi, il y va du plus grand bien que vous puissiez souhaiter.

IPHICRATE – Du plus grand bien ? Si cela est, il y a là quelque chose qui pourrait assez me convenir d'une certaine façon.

ARLEQUIN – Prends tout, c'est un habit fait sur ta taille[8].

TRIVELIN – Il me faut tout ou rien.

IPHICRATE – Voulez-vous que je m'avoue un ridicule[9] ?

ARLEQUIN – Qu'importe, quand on l'a été.

TRIVELIN – N'avez-vous que cela à me dire ?

IPHICRATE – Va[10] donc pour la moitié, pour me tirer d'affaire.

TRIVELIN – Va du tout[11].

Notes

1. **libéral** : généreux.
2. **un petit brin** : un petit peu.
3. **hâbleur** : vantard.
4. **maîtresses** : ici, admiratrices.
5. **ébauche** : esquisse, première approche.
6. **tantôt** : tout à l'heure.
7. **déterminée** : poussée.

8. **c'est un habit fait sur ta taille** : c'est un portrait qui te correspond entièrement.
9. **un ridicule** : être un personnage ridicule.
10. **Va** : c'est d'accord.
11. **Va du tout** : il faut tout accepter.

IPHICRATE – Soit[1].

85 *Arlequin rit de toute sa force.*

TRIVELIN – Vous avez fort bien fait, vous n'y perdrez rien.
Adieu, vous saurez[2] bientôt de mes nouvelles.

Notes

1. **Soit** : d'accord (avec une certaine réticence).

2. **saurez** : aurez.

Scène galante dans un parc par Antoine Watteau
ou son élève Jean-Baptiste Pater (XVIIIe siècle).

SCÈNE 6

CLÉANTHIS, IPHICRATE, ARLEQUIN, EUPHROSINE.

CLÉANTHIS – Seigneur Iphicrate, peut-on vous demander de quoi vous riez ?

ARLEQUIN – Je ris de mon Arlequin qui a confessé qu'il était un ridicule.

CLÉANTHIS – Cela me surprend, car il a la mine d'un homme raisonnable. Si vous voulez voir une coquette de son propre aveu, regardez ma suivante.

ARLEQUIN, *la regardant.* – Malepeste[1], quand ce visage-là fait le fripon[2], c'est bien son métier. Mais parlons d'autres choses, ma belle damoiselle : qu'est-ce que nous ferons à cette heure que nous sommes gaillards[3] ?

CLÉANTHIS – Eh ! mais la belle conversation[4] !

ARLEQUIN – Je crains que cela ne vous fasse bâiller, j'en bâille déjà. Si je devenais amoureux de vous, cela amuserait davantage.

Notes

1. **Malepeste** : interjection exprimant la contrariété.
2. **fripon** : qui cherche à plaire.
3. **gaillards** : en pleine forme.
4. **la belle conversation** : la conversation spirituelle des salons mondains.

CLÉANTHIS – Eh bien, faites. Soupirez pour moi, poursuivez mon cœur, prenez-le si vous pouvez, je ne vous en empêche pas ; c'est à vous à faire vos diligences[1], me voilà, je vous attends : mais traitons l'amour à la grande manière[2] ; puisque nous sommes devenus maîtres, allons-y poliment[3], et comme le grand monde[4].

ARLEQUIN – Oui-da, nous n'en irons que meilleur train[5].

CLÉANTHIS – Je suis d'avis d'une chose ; que nous disions qu'on nous apporte des sièges pour prendre l'air assis[6], et pour écouter les discours galants que vous m'allez tenir : il faut bien jouir de[7] notre état, en goûter le plaisir.

ARLEQUIN – Votre volonté vaut une ordonnance[8]. *(À Iphicrate :)* Arlequin, vite des sièges pour moi, et des fauteuils[9] pour Madame.

IPHICRATE – Peux-tu m'employer à cela !

ARLEQUIN – La République le veut.

CLÉANTHIS – Tenez, tenez, promenons-nous plutôt de cette manière-là, et tout en conversant vous ferez adroitement tomber l'entretien sur le penchant que mes yeux vous ont inspiré pour moi. Car encore une fois nous sommes d'honnêtes gens[10] à cette heure ; il faut songer à cela, il n'est plus question de familiarité domestique[11]. Allons, procédons noblement, n'épargnez ni compliments ni révérences.

Notes

1. **diligences** : efforts, empressements.
2. **à la grande manière** : à la manière des grands de notre monde.
3. **poliment** : avec des manières.
4. **le grand monde** : la haute société.
5. **meilleur train** : plus rapidement.
6. **prendre l'air assis** : être assis (style précieux, mondain).
7. **jouir de** : profiter de.
8. **ordonnance** : décision officielle.

9. **fauteuils** : sièges confortables avec dossiers et accoudoirs ; par galanterie, Arlequin demande des fauteuils pour Cléanthis et des sièges plus ordinaires pour lui. On pourra s'étonner du pluriel.
10. **honnêtes gens** : personnes de condition sociale élevée.
11. **familiarité domestique** : familiarité entre domestiques.

ARLEQUIN – Et vous, n'épargnez point les mines[1]. Courage ; quand ce ne serait que pour nous moquer de nos patrons. Garderons-nous nos gens[2] ?

CLÉANTHIS – Sans difficulté : pouvons-nous être sans eux, c'est notre suite[3] ; qu'ils s'éloignent seulement.

ARLEQUIN, à Iphicrate. – Qu'on se retire à dix pas. *(Iphicrate et Euphrosine s'éloignent en faisant des gestes d'étonnement et de douleur ; Cléanthis regarde aller Iphicrate, et Arlequin Euphrosine. Arlequin se promenant sur le théâtre avec Cléanthis :)* Remarquez-vous, Madame, la clarté du jour ?

CLÉANTHIS – Il fait le plus beau temps du monde ; on appelle cela un jour tendre[4].

ARLEQUIN – Un jour tendre ? Je ressemble donc au jour, Madame.

CLÉANTHIS – Comment, vous lui ressemblez ?

ARLEQUIN – Et palsambleu[5] le moyen de n'être pas tendre, quand on se trouve tête à tête avec vos grâces. *(À ce mot, il saute de joie.)* Oh, oh, oh, oh !

CLÉANTHIS – Qu'avez-vous donc, vous défigurez[6] notre conversation ?

ARLEQUIN – Oh, ce n'est rien, c'est que je m'applaudis.

CLÉANTHIS – Rayez ces applaudissements, ils nous dérangent. *(Continuant :)* Je savais bien que mes grâces entreraient pour quelque chose ici. Monsieur, vous êtes galant, vous vous promenez avec moi, vous me dites des douceurs ; mais finissons, en voilà assez, je vous dispense des compliments.

ARLEQUIN – Et moi, je vous remercie de vos dispenses.

Notes

1. **mines** : manières affectées.
2. **nos gens** : nos domestiques.
3. **notre suite** : nos domestiques.
4. **tendre** : favorable à la galanterie, au discours amoureux mondain.

5. **palsambleu** : interjection exprimant l'étonnement.
6. **défigurez** : gâtez, abîmez.

CLÉANTHIS – Vous m'allez dire que vous m'aimez, je le vois bien : Dites, Monsieur, dites, heureusement on n'en croira rien ; vous êtes aimable[1], mais coquet[2], et vous ne persuaderez pas.

70 ARLEQUIN, *l'arrêtant par le bras, et se mettant à genoux.* – Faut-il m'agenouiller, Madame, pour vous convaincre de mes flammes, et de la sincérité de mes feux[3] ?

CLÉANTHIS – Mais ceci devient sérieux : laissez-moi, je ne veux point d'affaire[4], levez-vous. Quelle vivacité ! Faut-il vous dire
75 qu'on vous aime ? Ne peut-on en être quitte à moins ? Cela est étrange !

ARLEQUIN, *riant à genoux.* – Ah, ah, ah, que cela va bien ! Nous sommes aussi bouffons[5] que nos patrons, mais nous sommes plus sages.

80 CLÉANTHIS – Oh vous riez, vous gâtez tout.

ARLEQUIN – Ah, ah, par ma foi vous êtes bien aimable, et moi aussi. Savez-vous bien ce que je pense ?

CLÉANTHIS – Quoi ?

ARLEQUIN – Premièrement, vous ne m'aimez pas, sinon par
85 coquetterie, comme le grand monde.

CLÉANTHIS – Pas encore, mais il ne s'en fallait plus que d'un mot, quand vous m'avez interrompue. Et vous, m'aimez-vous ?

ARLEQUIN – J'y allais[6] aussi quand il m'est venu une pensée.
90 Comment trouvez-vous mon Arlequin ?

CLÉANTHIS – Fort à mon gré[7]. Mais que dites-vous de ma suivante ?

Notes

1. **aimable** : digne d'être aimé.
2. **coquet** : ici, léger, dépourvu de réels sentiments.
3. **flammes, feux** : métaphore habituelle pour exprimer la passion amoureuse.
4. **affaire** : ici, intrigue amoureuse.
5. **bouffons** : comiques.
6. **J'y allais** : j'allais le dire.
7. **Fort à mon gré** : tout à fait à mon goût.

ARLEQUIN – Qu'elle est friponne !

CLÉANTHIS – J'entrevois votre pensée.

95 ARLEQUIN – Voilà ce que c'est : tombez amoureuse d'Arlequin, et moi de votre suivante ; nous sommes assez forts pour soutenir[1] cela.

CLÉANTHIS – Cette imagination-là me rit assez[2] ; ils ne sauraient mieux faire que de nous aimer, dans le fond.

100 ARLEQUIN – Ils n'ont jamais rien aimé de si raisonnable, et nous sommes d'excellents partis[3] pour eux.

CLÉANTHIS – Soit. Inspirez à Arlequin de s'attacher à moi, faites-lui sentir l'avantage qu'il y trouvera dans la situation où il est ; qu'il m'épouse, il sortira tout d'un coup d'esclavage ;
105 cela est bien aisé, au bout du compte. Je n'étais ces jours passés qu'une esclave ; mais enfin me voilà dame et maîtresse d'aussi bon jeu qu'une autre[4] : je la[5] suis par hasard ; n'est-ce pas le hasard qui fait tout ? Qu'y a-t-il à dire à cela ? J'ai même un visage de condition[6], tout le monde me l'a dit.

110 ARLEQUIN – Pardi, je vous prendrais bien, moi, si je n'aimais pas votre suivante un petit brin[7] plus que vous. Conseillez-lui aussi de l'amour pour ma petite personne qui, comme vous voyez, n'est pas désagréable.

CLÉANTHIS – Vous allez être content ; je vais appeler Cléanthis,
115 je n'ai qu'un mot à lui dire : éloignez-vous un instant, et revenez. Vous parlerez ensuite à Arlequin pour moi, car il faut qu'il commence ; mon sexe, la bienséance[8] et ma dignité le veulent.

Notes

1. **soutenir** : mener à bien.
2. **me rit assez** : me plaît assez.
3. **partis** : personnes que l'on épouse.
4. **d'aussi bon jeu qu'une autre** : valant bien une autre.

5. **la** : remplace « *dame et maîtresse* ».
6. **un visage de condition** : le visage d'une femme de condition sociale élevée.
7. **un petit brin** : un petit peu.
8. **la bienséance** : ce qui est convenable.

ARLEQUIN – Oh, ils le veulent, si vous voulez, car dans le grand monde[1] on n'est pas si façonnier[2] ; et sans faire semblant de rien, vous pourriez lui jeter quelque petit mot bien clair à l'aventure[3] pour lui donner courage, à cause que vous êtes plus que lui, c'est l'ordre.

CLÉANTHIS – C'est assez bien raisonner. Effectivement, dans le cas[4] où je suis, il pourrait y avoir de la petitesse à m'assujettir à[5] de certaines formalités[6] qui ne me regardent plus ; je comprends cela à merveille, mais parlez-lui toujours, je vais dire un mot à Cléanthis ; tirez-vous à quartier[7] pour un moment.

ARLEQUIN – Vantez mon mérite, prêtez-m'en un peu à charge de revanche[8].

CLÉANTHIS – Laissez-moi faire. *(Elle appelle Euphrosine.)* Cléanthis ?

---

1. **le grand monde** : la haute société.
2. **façonnier** : maniéré, affecté.
3. **à l'aventure** : au hasard.
4. **le cas** : ici, la situation sociale.
5. **m'assujettir à** : me plier à.
6. **de certaines formalités** : certaines formalités.

7. **tirez-vous à quartier** : tenez-vous à l'écart.
8. **prêtez m'en un peu à charge de revanche** : allez jusqu'à me prêter des mérites que je n'ai pas et je vous revaudrai cela.

Un jeu galant

Analyse de l'extrait (l. 1, p. 47, à l. 109, p. 51)

LE JEU DE L'INVERSION

1) Comment et pourquoi les deux premières répliques rappellent-elles le jeu de l'inversion qui est au cœur de l'intrigue ?

2) Quels sont les personnages présents au fil de la scène ? Que remarquez-vous ?

> ** Champ lexical :* ensemble de mots se rapportant à une même notion.

3) Relevez et commentez le champ lexical* de la parole.

L'expression des conditions sociales au théâtre

Le théâtre, inspiré des pièces antiques, met en scène des personnages types auxquels sont attachés un caractère et une condition sociale. Cette dernière se voit dans :
– les **costumes** ;
– les **paroles** : parler familier et imagé, spontanéité et rires ou sifflets des valets ;
– les **gestes** et les **mouvements** : pirouettes, course, applaudissement des valets ; retenue des maîtres.

---

4) Comment les valets montrent-ils leur nouvelle condition sociale ?

LE THÉÂTRE DANS LE THÉÂTRE

5) En quoi consiste la scène qu'Arlequin et Cléanthis entreprennent de jouer aux lignes 23 à 76 (pp. 48 à 50) ?

6) Dans cette scène jouée par des esclaves, comparez le jeu d'Arlequin et celui de Cléanthis.

L'expression de l'autorité : la modalité injonctive

Différents procédés lexicaux et grammaticaux peuvent exprimer l'injonction (l'ordre) :
– le lexique de la volonté : *j'ordonne, je veux*, etc. ;
– la tournure impersonnelle : *il faut*, etc. ;
– le mode impératif : *venez*, etc. ;
– le futur : *vous viendrez demain*, etc. ;
– le subjonctif à la 3ᵉ personne : *qu'il vienne*, etc.

7 Dans quel passage Cléanthis orchestre-t-elle le dialogue comme un metteur en scène ? Justifiez votre réponse en examinant, notamment, les formes verbales qui expriment son autorité.

8 Comment Arlequin montre-t-il qu'il se soumet volontiers aux ordres de son metteur en scène ?

9 Arlequin a-t-il l'occasion de devenir, lui aussi, un metteur en scène ? Développez votre réponse en comparant son attitude à celle de Cléanthis.

LA SATIRE SOCIALE

10 Comment Marivaux exprime-t-il, dans la scène de galanterie jouée par les esclaves, la place du plaisir dans la vie mondaine ? Comment les répliques des deux personnages traduisent-elles le dynamisme d'invitation et de refus qui caractérise le badinage* amoureux ?

> ** Badinage :* conversation légère.

11 Quelles significations peut-on donner à la réplique d'Arlequin qui clôt la scène galante (l. 77 à 79, p. 50) ?

12 Quelle réflexion sur la hiérarchie sociale Marivaux prête-t-il à Cléanthis dans la dernière réplique du passage (l. 131-132, p. 52) ?

13 En vous appuyant sur vos réponses à ce questionnaire, rédigez un commentaire organisé montrant en quoi la fantaisie de l'inversion et du théâtre dans le théâtre véhicule une critique sociale.

GRAMMAIRE

Les déterminants

Les déterminants accompagnent le nom.
On distingue les articles (définis, indéfinis, partitifs) et les déterminants possessifs (ex. : *mon*), démonstratifs (ex. : *cet*), indéfinis (ex. : *chaque*), numéraux (ex. : *trois*), exclamatifs ou interrogatifs (ex. : *quel*).

14 Relevez les déterminants et précisez leur nature (classe grammaticale) dans la réplique de Cléanthis (l. 60 à 64, p. 49).

15 Dans le même passage, indiquez le mode et le temps des verbes.

Antoine Watteau, *La Comédie française ou l'Amour en Théâtre-Français* (vers 1715-1717).

SCÈNE 7

CLÉANTHIS, ET EUPHROSINE *qui vient doucement.*

1   CLÉANTHIS – Approchez, et accoutumez-vous à[1] aller plus vite, car je ne saurais attendre[2].

EUPHROSINE – De quoi s'agit-il ?

CLÉANTHIS – Venez çà, écoutez-moi : un honnête homme
5   vient de me témoigner qu'il vous aime ; c'est Iphicrate.

EUPHROSINE – Lequel ?

CLÉANTHIS – Lequel ? Y en a-t-il deux ici ? C'est celui qui vient de me quitter.

EUPHROSINE – Eh ! que veut-il que je fasse de son amour ?

10   CLÉANTHIS – Eh ! qu'avez-vous fait de l'amour de ceux qui vous aimaient ? Vous voilà bien étourdie[3] : est-ce le mot d'*amour* qui vous effarouche[4] ? Vous le connaissez tant cet amour ; vous n'avez jusqu'ici regardé les gens que pour leur en donner ; vos beaux yeux n'ont fait que cela, dédaignent-
15   ils la conquête du seigneur Iphicrate ? Il ne vous fera pas de

---

Notes

1. **accoutumez-vous à :** prenez l'habitude de.

2. **je ne saurais attendre :** il n'est pas question que j'attende.

3. **étourdie :** ici, saisie d'étonnement.

4. **effarouche :** fait peur.

révérences penchées, vous ne lui trouverez point de contenance ridicule, d'airs évaporés[1] : ce n'est point une tête légère, un petit badin[2], un petit perfide[3], un joli volage[4], un aimable indiscret[5]; ce n'est point tout cela; ces grâces-là lui

20 manquent, à la vérité; ce n'est qu'un homme franc, qu'un homme simple dans ses manières, qui n'a pas l'esprit de se donner des airs, qui vous dira qu'il vous aime seulement parce que cela sera vrai : enfin ce n'est qu'un bon cœur, voilà tout; et cela est fâcheux, cela ne pique point[6]. Mais vous avez

25 l'esprit raisonnable, je vous destine à lui, il fera votre fortune ici, et vous aurez la bonté d'estimer son amour, et vous y serez sensible, entendez-vous[7]; vous vous conformerez à mes intentions, je l'espère, imaginez-vous même que je le veux.

EUPHROSINE – Où suis-je! et quand cela finira-t-il?

30 *Elle rêve.*

SCÈNE 8

Arlequin, Euphrosine.

₁ *Arlequin arrive en saluant Cléanthis qui sort. Il va tirer Euphrosine*
par la manche.

EUPHROSINE – Que me voulez-vous ?

ARLEQUIN, *riant*. – Eh, eh, eh, ne vous a-t-on pas parlé de
₅ moi ?

EUPHROSINE – Laissez-moi, je vous prie.

ARLEQUIN – Eh là là, regardez-moi dans l'œil pour deviner ma
pensée ?

EUPHROSINE – Eh ! pensez ce qu'il vous plaira.

₁₀ ARLEQUIN – M'entendez-vous[1] un peu ?

EUPHROSINE – Non.

ARLEQUIN – C'est que je n'ai encore rien dit.

EUPHROSINE, *impatiente*. – Ahi !

ARLEQUIN – Ne mentez point ; on vous a communiqué les
₁₅ sentiments de mon âme, rien n'est plus obligeant[2] pour vous.

EUPHROSINE – Quel état[3] !

---

1. **M'entendez-vous** : me comprenez-
vous.

2. **obligeant** : flatteur.
3. **état** : ici, situation.

ARLEQUIN – Vous me trouvez un peu nigaud¹, n'est-il pas vrai ? mais cela se passera ; c'est que je vous aime, et que je ne sais comment vous le dire.

20 EUPHROSINE – Vous ?

ARLEQUIN – Eh pardi oui ; qu'est-ce qu'on peut faire de mieux ? Vous êtes si belle, il faut bien vous donner son cœur, aussi bien vous le prendriez de vous-même.

EUPHROSINE – Voici le comble de mon infortune².

25 ARLEQUIN, *lui regardant les mains*. – Quelles mains ravissantes ! les jolis petits doigts ! Que je serais heureux avec cela ! mon petit cœur en ferait bien son profit. Reine, je suis bien tendre, mais vous ne voyez rien ; si vous aviez la charité d'être tendre aussi, oh ! je deviendrais fou tout à fait.

30 EUPHROSINE – Tu ne l'es déjà que trop.

ARLEQUIN – Je ne le serai jamais tant que³ vous en êtes digne.

EUPHROSINE – Je ne suis digne que de pitié, mon enfant.

ARLEQUIN – Bon, bon, à qui est-ce que vous contez cela ? Vous êtes digne de toutes les dignités imaginables : un empe-
35 reur ne vous vaut pas, ni moi non plus : mais me voilà, moi, et un empereur n'y est pas : et un rien qu'on voit vaut mieux que quelque chose qu'on ne voit pas. Qu'en dites-vous ?

EUPHROSINE – Arlequin, il me semble que tu n'as point le cœur mauvais.

40 ARLEQUIN – Oh, il ne s'en fait plus de cette pâte-là, je suis un mouton.

EUPHROSINE – Respecte donc le malheur que j'éprouve⁴.

ARLEQUIN – Hélas ! je me mettrais à genoux devant lui.

Notes

1. **nigaud** : sot.
2. **infortune** : malheur.
3. **tant que** : autant que.

4. **que j'éprouve** : que j'endure, que je supporte.

EUPHROSINE – Ne persécute point une infortunée, parce que tu peux la persécuter impunément. Vois l'extrémité où je suis réduite[1]; et si tu n'as point d'égard au rang que je tenais dans le monde, à ma naissance, à mon éducation, du moins que mes disgrâces[2], que mon esclavage, que ma douleur t'attendrissent : tu peux ici m'outrager[3] autant que tu le voudras ; je suis sans asile et sans défense, je n'ai que mon désespoir pour tout secours, j'ai besoin de la compassion[4] de tout le monde, de la tienne même, Arlequin ; voilà l'état où je suis, ne le trouves-tu pas assez misérable ? Tu es devenu libre et heureux, cela doit-il te rendre méchant ? Je n'ai pas la force de t'en dire davantage ; je ne t'ai jamais fait de mal, n'ajoute rien à celui que je souffre.

ARLEQUIN, *abattu et les bras abaissés, et comme immobile.* – J'ai perdu la parole.

Notes

1. l'extrémité où je suis réduite :
la situation désespérée dans laquelle
je me trouve.

2. disgrâces : malheurs.
3. m'outrager : m'humilier, me blesser.
4. compassion : pitié.

Du comique à l'émotion
Analyse de la scène 8 (pp. 59 à 61)

UNE COMÉDIE FRAGILISÉE

1 Quel est le projet d'Arlequin à ce stade de l'intrigue? Le mène-t-il à bien?

2 Dégagez la composition de la scène en examinant la longueur des répliques.

Les tonalités

Les tonalités concernent l'émotion que les textes suscitent chez leur lecteur ou spectateur.

On distingue, principalement, les tonalités **comique** (qui provoque rire ou sourire), **lyrique** (qui amène le lecteur à partager les sentiments, les émotions de l'auteur), **fantastique** (qui trouble, voire effraie le lecteur), **pathétique** (qui inspire la pitié), **tragique** (qui suscite la pitié pour un personnage prisonnier de son destin), **polémique** (qui invite le lecteur à débattre d'une idée).

---

3 Quelles tonalités se succèdent au cours de la scène? Comment les répliques et les didascalies manifestent-elles ce changement?

4 De quelle façon Arlequin s'y prend-il pour séduire Euphrosine à la manière des amoureux des salons mondains?

5 Arlequin parvient-il, selon vous, à parler comme les amoureux mondains? Justifiez votre réponse.

6 Comment Euphrosine réagit-elle aux propos d'Arlequin?

Au-delà des conventions théâtrales

Les conventions théâtrales héritées du classicisme

Le théâtre classique (*Art poétique* de Boileau en 1674) a fixé des codes qui seront, généralement, appliqués jusqu'à la révolution romantique au début du XIXe siècle :

– les **règles** des trois unités (lieu, temps, action), de la vraisemblance et de la bienséance ;

– les **genres** bien distincts : la comédie pour divertir et critiquer les mœurs, la tragédie pour célébrer les valeurs et émouvoir ;

– des **personnages types** : ordinaires, voire populaires dans la comédie ; de haut rang dans la tragédie.

7 En quoi Euphrosine ressemble-t-elle à une héroïne tragique plutôt qu'à un personnage de comédie ?

8 Dans quelle mesure Arlequin est-il un personnage à la fois comique et émouvant ?

9 En examinant notamment la fin de la scène, montrez qu'Arlequin se présente lui-même comme un personnage de théâtre au rôle prédéfini. Quelle réflexion sur les conventions théâtrales Marivaux esquisse-t-il ici ?

Au-delà des conventions sociales :
Vérité et compassion

10 Montrez qu'Euphrosine a évolué depuis le portrait que Cléanthis a dressé d'elle dans la scène 3 ?

11 Quelles sont les valeurs prônées par la jeune femme ?

12 En quoi le langage, outil mondain au début du dialogue, devient-il un instrument de vérité dans la tirade d'Euphrosine (l. 44 à 56, p. 61) ? Appuyez-vous sur le lexique pour répondre.

13 Comment la sincérité d'Arlequin s'exprime-t-elle ?

⑭ Quelles informations la réplique « *c'est que je vous aime, et que je ne sais comment vous le dire* » (l. 18-19, p. 60) nous donne-t-elle sur Arlequin ?

⑮ En vous appuyant sur vos réponses à ce questionnaire, rédigez un commentaire organisé montrant que Marivaux brouille les genres et met en avant les valeurs de la vérité et de la compassion.

GRAMMAIRE

L'adjectif

L'adjectif est un mot variable qui précise le sens d'un nom (ou d'un pronom, d'un infinitif, d'une subordonnée) auquel il se rapporte.
Sa fonction peut être :
– épithète du nom (il se rapporte directement au nom) : *C'est une idée **originale*** ;
– attribut du sujet ou du COD (par l'intermédiaire d'un verbe) : *Votre idée est **originale*** – *Je trouve votre idée **originale***;
– adjectif apposé au nom (séparé par une virgule) : *Votre idée, **originale**, vous vaudra des applaudissements.*

---

⑯ Relevez les adjectifs dans la réplique d'Arlequin (l. 25 à 29, p. 60) et indiquez la fonction de chacun d'eux.

SCÈNE 9

IPHICRATE, ARLEQUIN.

1   IPHICRATE – Cléanthis m'a dit que tu voulais t'entretenir avec moi[1] ; que me veux-tu ? as-tu encore quelques nouvelles insultes à me faire ?

ARLEQUIN – Autre personnage qui va me demander encore ma
5   compassion. Je n'ai rien à te dire, mon ami, sinon que je voulais te faire commandement d'aimer la nouvelle Euphrosine : voilà tout. À qui diantre en as-tu ?

IPHICRATE – Peux-tu me le demander, Arlequin ?

ARLEQUIN – Eh pardi oui je le peux, puisque je le fais.

10 IPHICRATE – On m'avait promis que mon esclavage finirait bientôt, mais on me trompe, et c'en est fait[2], je succombe[3] ; je me meurs, Arlequin, et tu perdras bientôt ce malheureux maître qui ne te croyait pas capable des indignités qu'il a souffertes de toi.

15 ARLEQUIN – Ah ! il ne nous manquait plus que cela, et nos amours auront bonne mine. Écoute : je te défends de mourir par malice[4] ; par maladie, passe, je te le permets.

Notes
1. t'entretenir avec moi : me parler.   3. je succombe : je ne peux résister.
2. c'en est fait : c'est fini.   4. malice : méchanceté.

IPHICRATE – Les dieux te puniront, Arlequin.

ARLEQUIN – Eh! de quoi veux-tu qu'ils me punissent : d'avoir
eu du mal[1] toute ma vie ?

IPHICRATE – De ton audace[2] et de tes mépris envers ton maître :
rien ne m'a été si sensible[3], je l'avoue. Tu es né, tu as été éle-
vé avec moi dans la maison de mon père, le tien y est encore ;
il t'avait recommandé ton devoir en partant ; moi-même, je
t'avais choisi par un sentiment d'amitié pour m'accompagner
dans mon voyage ; je croyais que tu m'aimais, et cela m'atta-
chait à toi.

ARLEQUIN, *pleurant.* – Et qui est-ce qui te dit que je ne t'aime
plus ?

IPHICRATE – Tu m'aimes, et tu me fais mille injures !

ARLEQUIN – Parce que je me moque un petit brin[4] de toi ; cela
empêche-t-il que je t'aime ? Tu disais bien que tu m'aimais,
toi, quand tu me faisais battre ; est-ce que les étrivières[5] sont
plus honnêtes[6] que les moqueries ?

IPHICRATE – Je conviens que j'ai pu quelquefois te maltraiter
sans trop de sujet[7].

ARLEQUIN – C'est la vérité.

IPHICRATE – Mais par combien de bontés ai-je réparé cela ?

ARLEQUIN – Cela n'est pas de ma connaissance.

IPHICRATE – D'ailleurs, ne fallait-il pas te corriger de tes défauts ?

Notes

1. **mal** : malheur.
2. **audace** : insolence.
3. **si sensible** : aussi douloureux.
4. **un petit brin** : un petit peu.

5. **étrivières** : lanières de cuir servant à attacher les étriers à la selle d'un cheval ; on peut s'en servir comme d'un fouet.
6. **honnêtes** : polies.
7. **sujet** : ici, raison.

ARLEQUIN – J'ai plus pâti[1] des tiens que des miens : mes plus grands défauts, c'était ta mauvaise humeur, ton autorité, et le peu de cas que tu faisais de[2] ton pauvre esclave.

IPHICRATE – Va, tu n'es qu'un ingrat[3] ; au lieu de me secourir ici, de partager mon affliction[4], de montrer à tes camarades l'exemple d'un attachement qui les eût touchés, qui les eût engagés peut-être à renoncer à leur coutume ou à m'en affranchir, et qui m'eût pénétré moi-même de la plus vive reconnaissance.

ARLEQUIN – Tu as raison, mon ami, tu me remontres[5] bien mon devoir ici pour toi, mais tu n'as jamais su le tien pour moi, quand nous étions dans Athènes. Tu veux que je partage ton affliction[6], et jamais tu n'as partagé la mienne. Eh bien va, je dois avoir le cœur meilleur que toi, car il y a plus longtemps que je souffre, et que je sais ce que c'est que de la peine[7] ; tu m'as battu par amitié ; puisque tu le dis, je te le pardonne ; je t'ai raillé[8] par bonne humeur, prends-le en bonne part[9], et fais-en ton profit. Je parlerai en ta faveur à mes camarades, je les prierai de te renvoyer ; et s'ils ne le veulent pas, je te garderai comme mon ami ; car je ne te ressemble pas, moi, je n'aurais point le courage d'être heureux à tes dépens.

IPHICRATE, *s'approchant d'Arlequin.* – Mon cher Arlequin ! Fasse le Ciel[10], après ce que je viens d'entendre, que j'aie la joie de te montrer un jour les sentiments que tu me donnes pour toi ! Va, mon cher enfant, oublie que tu fus mon esclave, et

---

Notes

1. **pâti** : souffert.
2. **le peu de cas que tu faisais de** : le peu d'importance que tu accordais à.
3. **ingrat** : personne qui ne se montre pas reconnaissante.
4. **affliction** : chagrin, souffrance.
5. **tu me remontres** : tu me présentes comme un reproche.
6. **ton affliction** : ta douleur.
7. **je sais ce que c'est que de la peine** : je sais ce qu'est la peine.
8. **je t'ai raillé** : je me suis moqué de toi.
9. **en bonne part** : du bon côté.
10. **Fasse le Ciel** : que le Ciel fasse.

je me ressouviendrai toujours que je ne méritais pas d'être
ton maître.

ARLEQUIN – Ne dites donc point comme cela, mon cher
70 patron ; si j'avais été votre pareil, je n'aurais peut-être pas
mieux valu que vous : c'est à moi à vous demander pardon
du mauvais service que je vous ai toujours rendu. Quand
vous n'étiez pas raisonnable, c'était ma faute.

IPHICRATE, *l'embrassant.* – Ta générosité me couvre de confu-
75 sion[1].

ARLEQUIN – Mon pauvre patron, qu'il y a de plaisir à bien
faire[2] !

Après quoi il déshabille son maître.

IPHICRATE – Que fais-tu, mon cher ami ?

80 ARLEQUIN – Rendez-moi mon habit, et reprenez le vôtre, je
ne suis pas digne de le porter.

IPHICRATE – Je ne saurais retenir mes larmes ! Fais ce que tu
voudras.

Notes

1. **me couvre de confusion** : me gêne
beaucoup.

2. **bien faire** : bien se comporter.

SCÈNE 10

CLÉANTHIS, EUPHROSINE, IPHICRATE, ARLEQUIN.

1 CLÉANTHIS, *en entrant avec Euphrosine qui pleure.* – Laissez-moi, je n'ai que faire de vous entendre gémir. *(Et plus près d'Arlequin.)* Qu'est-ce que cela signifie, seigneur Iphicrate ; pourquoi avez-vous repris votre habit ?

5 ARLEQUIN, *tendrement.* – C'est qu'il est trop petit pour mon cher ami, et que le sien est trop grand pour moi.

Il embrasse les genoux de son maître.

CLÉANTHIS – Expliquez-moi donc ce que je vois ; il semble que vous lui demandiez pardon ?

10 ARLEQUIN – C'est pour me châtier[1] de mes insolences.

CLÉANTHIS – Mais enfin, notre projet ?

ARLEQUIN – Mais enfin, je veux être un homme de bien[2] ; n'est-ce pas là un beau projet ? Je me repens de mes sottises, lui des siennes ; repentez-vous des vôtres, madame
15 Euphrosine se repentira aussi ; et vive l'honneur après : cela

---

Notes

1. **châtier :** punir.

2. **homme de bien :** homme qui fait ce qui est bien.

fera quatre beaux repentirs, qui nous feront pleurer tant[1] que nous voudrons.

EUPHROSINE – Ah, ma chère Cléanthis, quel exemple pour vous !

20 IPHICRATE – Dites plutôt quel exemple pour nous, Madame, vous m'en voyez pénétré[2].

CLÉANTHIS – Ah vraiment, nous y voilà, avec vos beaux exemples ; voilà de nos gens[3] qui nous méprisent dans le monde, qui font les fiers, qui nous maltraitent, qui nous 25 regardent comme des vers de terre, et puis, qui sont trop heureux dans l'occasion de nous trouver cent fois plus honnêtes gens qu'eux. Fi[4], que cela est vilain de n'avoir eu pour tout mérite que de l'or, de l'argent et des dignités : c'était bien la peine de faire tant les glorieux[5] ; où en seriez-vous 30 aujourd'hui si nous n'avions pas d'autre mérite que cela pour vous ? Voyons, ne seriez-vous pas bien attrapés ? Il s'agit de vous pardonner ; et pour avoir cette bonté-là, que faut-il être, s'il vous plaît ? Riche ? non, noble ? non, grand seigneur ? point du tout. Vous étiez tout cela, en valiez-vous 35 mieux ? Et que faut-il donc ? Ah ! Nous y voici. Il faut avoir le cœur bon, de la vertu et de la raison ; voilà ce qu'il faut, voilà ce qui est estimable, ce qui distingue, ce qui fait qu'un homme est plus qu'un autre. Entendez-vous, messieurs les honnêtes gens du monde ? voilà avec quoi l'on donne les 40 beaux exemples que vous demandez, et qui vous passent[6] : et à qui les demandez-vous ? À de pauvres gens que vous avez toujours offensés, maltraités, accablés, tout riches que vous êtes, et qui ont aujourd'hui pitié de vous, tout pauvres qu'ils

---

Notes

1. **tant** : autant.
2. **pénétré** : ému.
3. **gens** : domestiques.
4. **Fi** : interjection exprimant la colère.
5. **glorieux** : fiers.
6. **passent** : dépassent.

sont. Estimez-vous à cette heure, faites les superbes[1], vous aurez bonne grâce : allez, vous devriez rougir de honte !

ARLEQUIN – Allons, ma mie, soyons bonnes gens sans le reprocher, faisons du bien sans dire d'injures ; ils sont contrits[2] d'avoir été méchants, cela fait qu'ils nous valent bien ; car, quand on se repent, on est bon ; et quand on est bon, on est aussi avancé que nous. Approchez, madame Euphrosine, elle vous pardonne, voici qu'elle pleure, la rancune s'en va et votre affaire est faite.

CLÉANTHIS – Il est vrai que je pleure, ce n'est pas le bon cœur qui me manque.

EUPHROSINE, *tristement.* – Ma chère Cléanthis, j'ai abusé de l'autorité que j'avais sur toi, je l'avoue.

CLÉANTHIS – Hélas, comment en aviez-vous le courage ! Mais voilà qui est fait, je veux bien oublier tout, faites comme vous voudrez ; si vous m'avez fait souffrir, tant pis pour vous, je ne veux pas avoir à me reprocher la même chose, je vous rends la liberté ; et s'il y avait un vaisseau, je partirais tout à l'heure[3] avec vous : voilà tout le mal que je vous veux ; si vous m'en faites encore, ce ne sera pas ma faute.

ARLEQUIN, *pleurant.* – Ah la brave fille ! Ah le charitable naturel[4] !

IPHICRATE – Êtes-vous contente, Madame ?

EUPHROSINE, *avec attendrissement.* – Viens, que je t'embrasse, ma chère Cléanthis.

ARLEQUIN, *à Cléanthis.* – Mettez-vous à genoux pour être encore meilleure qu'elle.

Notes

1. **superbes :** orgueilleux.
2. **contrits :** malheureux.
3. **tout à l'heure :** tout de suite.
4. **naturel :** ici, caractère.

EUPHROSINE – La reconnaissance me laisse à peine la force de te répondre. Ne parle plus de ton esclavage, et ne songe plus désormais qu'à partager avec moi tous les biens que les dieux m'ont donnés, si nous retournons à Athènes.

SCÈNE 11

TRIVELIN *et les acteurs précédents.*

1 TRIVELIN – Que vois-je ? Vous pleurez, mes enfants, vous vous embrassez !

ARLEQUIN – Ah ! vous ne voyez rien, nous sommes admirables ; nous sommes des rois et des reines ; enfin finale, la
5 paix est conclue, la vertu a arrangé tout cela ; il ne nous faut plus qu'un bateau et un batelier[1] pour nous en aller ; et si vous nous les donnez, vous serez presque aussi honnêtes gens que nous.

TRIVELIN – Et vous, Cléanthis, êtes-vous du même sentiment ?

10 CLÉANTHIS, *baisant la main de sa maîtresse.* – Je n'ai que faire de vous en dire davantage, vous voyez ce qu'il en est.

ARLEQUIN, *prenant aussi la main de son maître pour la baiser.* – Voilà aussi mon dernier mot, qui vaut bien des paroles.

TRIVELIN – Vous me charmez, embrassez-moi aussi, mes chers
15 enfants, c'est là ce que j'attendais ; si cela n'était pas arrivé, nous aurions puni vos vengeances comme nous avons puni leurs duretés. Et vous Iphicrate, vous Euphrosine, je vous vois attendris, je n'ai rien à ajouter aux leçons que vous donne

---

Note 1. **batelier** : marin (en principe sur les canaux et les rivières).

cette aventure ; vous avez été leurs maîtres, et vous en avez mal agi ; ils sont devenus les vôtres, et ils vous pardonnent ; faites vos réflexions là-dessus. La différence des conditions n'est qu'une épreuve que les dieux font sur nous : je ne vous en dis pas davantage. Vous partirez dans deux jours, et vous reverrez Athènes. Que la joie à présent et que les plaisirs succèdent aux chagrins que vous avez sentis, et célèbrent le jour de votre vie le plus profitable.

« Nous sommes des rois et des reines »

Analyse de la scène 11 (pp. 73-74)

UNE SCÈNE DE CONCLUSION

1 De quelle manière Marivaux montre-t-il que cette scène est la dernière ? Examinez les propos des personnages, mais aussi la répartition et la longueur des répliques.

2 En quoi cette scène répond-elle aux questions posées à l'issue de l'exposition* ?

* Exposition : ouverture de la pièce, présentation des éléments nécessaires à la compréhension de l'intrigue.

Le dénouement des comédies

• Le dénouement est heureux : les problèmes soulevés au départ sont résolus dans l'intérêt de tous. Dans les comédies dont l'intrigue est centrée sur un mariage, les jeunes gens qui s'aiment finissent par s'épouser.

• Le dénouement rassemble progressivement tous les protagonistes.

---

3 Dans quelle mesure le dénouement est-il bien celui d'une comédie ?

4 Montrez l'importance de la mise en scène dans cette conclusion de la pièce.

UN DÉNOUEMENT ORCHESTRÉ
PAR TRIVELIN

5 Montrez que Trivelin incarne la loi de l'île.

La place d'un personnage au théâtre

La position de supériorité ou d'infériorité d'un personnage se voit :
– dans la longueur et le nombre de répliques par rapport aux autres personnages ;
– dans les répliques (le personnage pose-t-il des questions, donne-t-il des ordres ? comment nomme-t-il ses interlocuteurs ?) ;
– dans la mise en scène (quelle est la position du personnage, son attitude vis-à-vis des autres ?).

6 Comment Trivelin exprime-t-il sa supériorité par rapport aux autres personnages ?

7 En examinant les temps verbaux, montrez que Trivelin domine également le cours du temps.

8 En quoi peut-on dire que Trivelin, porte-parole de Marivaux, est, ici, chargé de dresser le bilan de la pièce ?

LA LEÇON DE LA PIÈCE

9 Dans quelle mesure la scène 11 marque-t-elle un retour à la situation initiale ?

10 Quelles modifications le dénouement (scènes 10 et 11) introduit-il cependant, par rapport au début de la pièce ? Quelle leçon Marivaux nous invite-t-il à tirer de cette évolution ?

11 Quelle conclusion la phrase « *nous sommes des rois et des reines* » (l. 4, p. 73), prononcée par Arlequin, suggère-t-elle ?

12 Commentez la phrase de Trivelin « *La différence des conditions n'est qu'une épreuve que les dieux font sur nous* » (l. 21-22, p. 74).

13 En vous appuyant sur vos réponses à ce questionnaire, rédigez un commentaire organisé montrant quel dénouement et quelle leçon cette scène apporte à la pièce.

GRAMMAIRE

Le présent

• Les valeurs du présent (indépendamment du mode) : présent de l'énonciation, présent de narration, présent de vérité générale, expression d'un passé proche ou d'un futur imminent.

• Pour savoir si un verbe est au présent de l'indicatif ou du subjonctif, remplacez-le par *faire* – *fait* (indicatif) / *fasse* (subjonctif) – pour entendre la différence.

14) Relevez les différents verbes au présent de l'indicatif dans la dernière réplique et précisez les valeurs de ce temps.

15) Relevez les autres verbes au présent et indiquez leur mode.

LIRE L'IMAGE

16) Comment le metteur en scène rend-il compte du rôle de Trivelin dans la comédie de Marivaux ?

Document
❷
au verso de
la couverture

Antoine Watteau, *L'Amour au Théâtre-Italien* (1718).

DIVERTISSEMENT

L'Isle des esclaves

AIR POUR LES ESCLAVES

Un esclave :

1   Quand un homme est fier de son rang
Et qu'il me vante sa naissance,
Je ris, je ris de notre impertinence,
Qui de ce nain fait un géant.

5   Mais a-t-il l'âme respectable ?
Est-il né tendre et généreux ?
Je voudrais forger[1] une fable
Qui le fît descendre des dieux.

Je voudrais forger une fable
10   Qui le fît descendre des dieux.

---

1. **forger** : ici, composer ; au sens propre, ce terme désigne le travail du fer dans la forge.

2ND AIR POUR LES MÊMES

Vaudeville[1]

1. Point de liberté dans la vie :
   Quand le plaisir veut nous guider,
   Tout aussitôt la raison crie.
   Moi, ne pouvant les accorder,
15 Je n'en fais qu'à ma fantaisie.

2. La vertu seule a droit de plaire,
   Dit le philosophe ici-bas.
   C'est bien dit, mais ce pauvre hère[2]
   Aime l'argent et n'en a pas.
20 Il en médit[3] dans sa colère.

3. « Arlequin au parterre[4] » :
   J'avais cru, patron de la case
   Et digne objet de notre amour,
   Qu'ici, comme en campagne rase,
25 L'herbe croîtrait[5] au premier jour.
   Je vous vois : je suis en extase[6].

Notes

1. *Vaudeville* : sorte de chanson ; désigne, par extension, un genre théâtral alternant dialogues et chansons, puis, au XIXe siècle, une comédie populaire, légère.
2. **hère** : homme misérable.
3. **médit** : dit du mal.
4. **parterre** : partie de la salle où se tiennent debout les spectateurs les moins fortunés.
5. **croîtrait** : pousserait.
6. **en extase** : profondément émerveillé.

Dossier
biblioLYCÉE

L'Île des esclaves

Scènes 1 et 2 : Exposition	
Personnages	**Cadre, situation et action**
• **Quatre naufragés :** – Iphicrate et son esclave Arlequin (scènes 1 et 2) ; – Euphrosine et son esclave Cléanthis (scène 2). • **Un représentant de l'île :** – Trivelin, mandaté par les habitants pour appliquer les lois de l'île (scène 2).	• **Cadre :** une île, l'Antiquité grecque (scène 1). • **Situation :** l'île est gouvernée par des esclaves révoltés (scènes 1 et 2). • **Action :** – Arlequin refuse d'obéir à Iphicrate (scène 1) ; – Trivelin ordonne aux quatre naufragés d'échanger leur nom et leur condition sociale. L'expérience vise à corriger les maîtres (scène 2).

Questions : Comment les personnages vont-ils réagir à cette inversion sociale ? Que veut dire Marivaux ?

Scènes 3 à 8 : Épreuves subies par Iphicrate et Euphrosine				
Portrait de chaque maître par son esclave (scènes 3 à 5)		**Pouvoir et jeu galant (scènes 6 à 8)**		
Cléanthis décrit Euphrosine, puis Trivelin commente le portrait (scènes 3 et 4).	Arlequin décrit Iphicrate (scène 5).	Cléanthis et Arlequin jouent une scène galante (scène 6).	Arlequin et Cléanthis comptent imposer leur amour, l'un à Euphrosine et l'autre à Iphicrate (scènes 6 et 7).	L'entreprise d'Arlequin pour s'imposer à Euphrosine échoue (scène 8).

Scènes 9 à 11 : Dénouement		
Arlequin renonce à sa condition de maître (scène 9).	Cléanthis finit par renoncer à sa condition de maîtresse (scène 10).	Trivelin vient conclure la pièce : **les valeurs morales et le respect mutuel sont plus importants que la hiérarchie sociale.**

Identité :
Pierre Carlet de
Chamblain de
Marivaux

Naissance :
4 février 1688,
à Paris.

Décès :
12 février 1763
(75 ans), à Paris.

Genres pratiqués :
Théâtre, roman,
journalisme.

Marivaux était un homme mondain mais discret, et son enfance ne nous est guère connue. Son œuvre nous éclaire sur son amour du théâtre et de la vérité, sur son goût de l'observation d'une société en mouvement. S'il est un moraliste, il est d'abord un Moderne.

I – Des débuts prometteurs (1688-1717)

➡ Un provincial

Pierre Carlet de Chamblain de Marivaux naît le 4 février 1688 à Paris dans un milieu de petite noblesse. Il passe une grande partie de son enfance à Riom (en Auvergne) où son père est nommé contrôleur de la Monnaie en 1698, puis directeur en 1704. Il suit des études classiques au collège des Oratoriens de Riom. Peut-être la famille déménage-t-elle à Limoges vers 1708 – époque où il compose une première comédie : *Le Père prudent et équitable*. Invité à suivre la carrière paternelle, le jeune homme s'inscrit à l'École de droit de Paris en 1710.

➡ Un jeune prodige à Paris

Mais, à Paris, il fréquente surtout les théâtres et les salons à la mode, comme celui de Madame de Lambert où il croise des figures bien parisiennes, tels les écrivains Fontenelle et Houdar de La Motte, l'actrice Adrienne Lecouvreur. Il y pratique, avec aisance, l'art de la conversation et de la controverse

---

La querelle des Anciens et des Modernes

Datant de 1687 (année où Charles Perrault, dans son poème *Le Siècle de Louis le Grand*, défendit, devant l'Académie française, la supériorité de ses contemporains sur les auteurs antiques), la querelle a été réactivée en 1713-1714 et oppose les Anciens, partisans du respect de la tradition classique, et les auteurs modernes, prônant le renouvellement des formes.

et se consacre à la littérature. Alors que renaît la querelle des Anciens et des Modernes, il se range aux côtés du philosophe Fontenelle, dans le camp des Modernes et de l'innovation.

➡ Premiers succès

Désireux d'entreprendre une carrière littéraire, Marivaux – il signera ses textes de ce seul nom à partir de 1717 – s'essaie à plusieurs genres.

À partir de 1713, il écrit des romans d'aventures baroques, tels que *Les Aventures de *** ou les Effets surprenants de la sympathie*, qui traite déjà du thème à la mode du naufrage, et des romans parodiques, comme *Pharsamon ou les Nouvelles Folies romanesques* (qui ne paraîtra qu'en 1737) ou *La Voiture embourbée* (1714). Épousant la cause des Modernes et rejetant le conventionnel, il se lance dans une réécriture burlesque de l'œuvre d'Homère : *L'Homère travesti ou l'« Iliade » en vers burlesques* (1716).

Également attiré par le journalisme, Marivaux publie, dans *Le Nouveau Mercure*, en 1717, une série d'essais sur les habitants de Paris, le peuple, les gens du monde, témoignant de son sens de l'observation critique. La même année, il épouse, par amour, Colombe Bologne, issue de la riche bourgeoisie de Sens.

II – Une brillante carrière littéraire (1718-1742)

➡ Des épreuves surmontées

Alors que le jeune prodige littéraire s'est fait une réputation dans le milieu parisien, la période d'insouciance prend fin en 1719 avec la mort de son père dont la charge ne lui est pas transmise. En 1720, Marivaux est ruiné par la banqueroute du financier Law, puis il perd sa femme en 1723. Père d'une petite Colombe-Prospère née en 1719, il renonce à son métier d'avocat et choisit de se consacrer à l'écriture.

➟ Des talents de journaliste et de romancier...

Marivaux exprime ses opinions sociales et politiques dans les salons, mais aussi dans les articles qu'il publie dans ses propres journaux : *Le Spectateur françois* (1721-1724), *L'Indigent philosophe* (1727) et *Le Cabinet du philosophe* (1734).

Romancier, il écrit deux romans qui resteront inachevés : *Le Paysan parvenu* (1734-1735) et *La Vie de Marianne* (1731-1742). Ces deux récits à la 1re personne racontent l'ascension sociale de deux personnages : Jacob et Marianne.

➟ ... mais surtout de dramaturge

Si son unique tragédie, *Annibal,* est un échec en 1720, Marivaux rencontre la faveur du public la même année avec sa comédie *Arlequin poli par l'amour*. Dès lors, son succès ne sera plus démenti. Gagné par la spontanéité et le naturel du jeu des Comédiens-Italiens, que le Régent a autorisés à rentrer en France en 1716, Marivaux prend ses distances avec la tradition comique de Molière et devient leur auteur attitré : des 27 comédies qu'il a composées entre 1722 et 1746, 18 leur sont destinées avec succès.

On a l'habitude de distinguer, chez Marivaux, les comédies amoureuses et les comédies sociales. Appartiennent à la première catégorie des pièces aux dialogues subtils, qui s'intéressent à la naissance de l'amour, à l'émergence des sentiments dans la conscience des personnages. Parmi les plus célèbres, citons : les deux *Surprises de l'amour* (1722 et 1727), *La Double Inconstance* (1723), *Le Jeu de l'amour et du hasard* (1730), *Le Triomphe de l'amour* (1732) et *Les Fausses Confidences* (1737). Les secondes comédies posent des questions d'ordre social dans un cadre utopique : *L'Île des esclaves* (1725), *L'Île de la raison* (1727) et *La Colonie* (1750).

▌ *LA DISPUTE*
Œuvre à part dans la production de Marivaux, *La Dispute*, comédie en un acte, représentée en 1744 au Théâtre-Français, fut mal accueillie du public. S'interrogeant sur l'origine de l'inconstance amoureuse, l'auteur abandonne stratagèmes et travestissements pour proposer une véritable pièce expérimentale.

▌ *LA COLONIE*
Cette pièce est une version remaniée de *La Nouvelle Colonie* jouée sans succès en 1729. Seule la version publiée en 1750 nous est connue.

➡ **La consécration**

Grâce à Madame de Tencin dont il fréquente le salon à partir de 1733, Marivaux est élu à l'Académie française, contre Voltaire, en 1742. C'est la consécration de l'auteur dont le discours d'investiture a des résonances étonnamment actuelles puisqu'il aborde le rôle du français en Europe et l'influence de la culture : « *Pourquoi notre langue a-t-elle passé dans presque toutes les cours de l'Europe ; l'attribuerons-nous aux conquêtes de Louis XIV ? […] Non, Messieurs […], c'est ce génie, c'est cet ordre, c'est ce sublime, ce sont ces grâces, ces lumières répandues dans vos ouvrages, ou dans ceux de nos écrivains que vous avez inspirés, qui ont acquis cette espèce de triomphe à la langue française.* »

III – Les dernières années (1743-1763)

➡ **Une production restreinte**

Marivaux fait publier *Les Acteurs de bonne foi* en 1757 dans *Le Conservateur*, mais, progressivement, il se détache de la scène et se consacre surtout à des travaux savants, à des lectures publiques. À l'Académie, il disserte sur différents sujets : « *Les progrès de l'esprit humain* », « *Les Romains et les anciens Perses* ».

On le voit encore dans les salons de Madame du Deffand puis de Madame Geoffrin où se réunissent hommes de lettres et diplomates, mais ses dernières années sont moroses et effacées.

➡ **Une vie en retrait**

En 1745, sa fille Colombe-Prospère entre au couvent de l'abbaye bénédictine du Trésor. Marivaux, affecté, se retire doucement de la vie parisienne. On sait peu de choses de sa dernière compagne, si ce n'est son nom : Angélique-Gabrielle Anquetin de La Chapelle Saint-Jean. C'est auprès d'elle qu'il meurt, démuni, rue de Richelieu, à Paris, le 12 février 1763.

1715-1730 : un vent de liberté

À la mort du Roi-Soleil (Louis XIV), la Régence et le début du règne de Louis XV marquent une transformation sensible dans la vie politique, économique et culturelle de la France.

I – Une société qui se libère

⇒ La Régence (1715-1723)

Les dernières années du règne de Louis XIV sont des années sombres : crises économiques, disettes, hivers catastrophiques, guerres incessantes… Sous l'influence de Madame de Maintenon, les dévots ont envahi la Cour.

En 1715, le long règne du Roi-Soleil prend fin. Louis XV, son arrière-petit-fils âgé de 5 ans, monte sur le trône. Mais c'est son grand-oncle, le duc Philippe d'Orléans, qui va diriger le pays jusqu'en 1723. Louis XV régnera, ensuite, jusqu'à sa mort en 1774. Symbole d'un nouveau régime, le gouvernement quitte Versailles et s'installe à Paris, au Palais-Royal. Si l'administration reste centralisée, la politique extérieure tranche avec celle de Louis XIV. Ainsi, Philippe d'Orléans prend l'initiative d'une réconciliation avec l'Angleterre. Il s'intéresse à l'économie : des expériences audacieuses sont tentées, telles la relance économique fondée sur le système de Law et la circulation du papier-monnaie. Le Régent laisse à Louis XV une France encore fragile mais stable.

⇒ Une société libertine

Le duc d'Orléans n'en reste pas moins un hédoniste[1]. Il s'entoure d'un groupe de gentilshommes libertins, appelés « les roués » (les fourbes), et l'aristocratie, libérée de ses obligations courtisanes, se jette dans une vie festive. C'est l'époque des « fêtes galantes » immortalisées par le peintre Antoine Watteau (1684-1721). C'en est fini de la rigueur géométrique des

▶ **LA RÉGENCE**
Gouvernement transitoire mis en place dans une monarchie pendant l'absence, l'incapacité ou la minorité d'un souverain.

▶ **MONTESQUIEU**
Dans les *Lettres persanes* (1721), il témoigne de la banqueroute de Law : « *La France, à la mort du feu roi, était un corps accablé de mille maux [...]. Un étranger est venu, qui a entrepris cette cure. Après bien des remèdes violents, il a cru lui avoir rendu son embonpoint ; et il l'a seulement rendue bouffie.* »

NOTE

1. **hédoniste** : adepte de l'hédonisme, philosophie qui fait de la recherche du plaisir le fondement de la morale et le but de l'existence.

jardins à la française. Le style rococo, dans le prolongement du baroque, multiplie les courbes sinueuses ; le brillant des robes de satin est à la mode et l'on admire les belles marquises du peintre Nicolas Lancret (v. 1690-1743). Les mœurs licencieuses se dissimulent sous le vernis de la bonne éducation et de l'esprit. Les pièces de Marivaux rendent compte de cette atmosphère légère des rencontres galantes.

➡ Une société en mouvement

Une évolution sociale se profile. La division de la société en trois ordres (clergé, noblesse et tiers état) est ébranlée par la montée d'une nouvelle classe sociale : la bourgeoisie. Une partie de celle-ci qui profite des développements industriels et commerciaux sollicite des postes politiques et économiques. Les fortunes peuvent désormais se faire et se défaire. Les bourgeois, et non plus seulement les nobles, accèdent au pouvoir.

Certaines conditions, toutefois, restent figées : celle des femmes, juridiquement soumises à la tutelle du mari ; quant aux valets, ils constituent une classe urbaine ou rurale importante qui vit souvent dans des conditions précaires. Dans *L'Île des esclaves*, les serviteurs sont dépersonnalisés par leur changement de nom ; et, dans *Le Jeu de l'amour et du hasard*, le valet Bourguignon porte simplement le nom de sa région d'origine. Nous sommes encore loin du Figaro de Beaumarchais, le valet revendicatif des dernières années du siècle.

II – Une pensée qui se libère : l'aube des Lumières

➡ La circulation des idées

La Régence assure la transition entre le Grand Siècle et l'avènement des Lumières sous le règne de Louis XV. Elle favorise le développement des cercles littéraires (cafés et salons mondains) dans la capitale. Chez Madame de Lambert, la duchesse du Maine ou Madame de Tencin, on rencontre Marivaux, Fontenelle, Montesquieu et tous les esprits libres qui souhaitent s'affranchir de la tradition et de l'autorité ou remettre en cause le dogmatisme politique et religieux. Durant tout le siècle, les salons sont l'espace où s'élabore le courant intellectuel des Lumières.

Venus d'Angleterre, des cercles de réflexion politique et philosophique (les loges de la franc-maçonnerie) réservés aux initiés apparaissent. Montesquieu et, sans doute, Marivaux y débattent de sujets comme le bonheur, le progrès social, les innovations scientifiques.

➡ Les philosophes

Le pouvoir s'humanise, et le modèle anglais d'une monarchie parlementaire remplaçant une monarchie absolue inspire les philosophes. Ces derniers revendiquent le droit au bonheur *hic et nunc* (« ici et maintenant », loin de l'idée chrétienne qui repousse le bonheur dans l'au-delà), sans toutefois remettre en cause les fondements de la société. En prônant l'harmonie sociale et la vertu garante du bonheur, Marivaux s'inscrit, à sa manière, dans le mouvement des Lumières commençant.

C'est dans la seconde moitié du siècle que les Lumières, rejetant l'explication divine de toute chose, proposeront de lui substituer une explication rationnelle. Le symbole de cette suprématie de la raison sera l'*Encyclopédie* (1751-1772), sous la direction de Diderot et d'Alembert.

III – Un genre qui se libère : le renouvellement théâtral

➡ Les différents théâtres

À l'époque où se jouent les comédies de Marivaux, le théâtre est un divertissement très prisé à Paris. Il existe trois salles de spectacle officielles : l'Académie

> ▶ **LE *PROCOPE***
> Le *Café Procope*, situé rue de l'Ancienne-Comédie, à Paris, était fréquenté par des artistes et des philosophes. Diderot et d'Alembert y auraient conçu l'idée de l'*Encyclopédie*.

> ▶ **DES FEMMES D'INFLUENCE**
> Riches et généreuses, les femmes émancipées contribuent à la diffusion des idées nouvelles : Madame de Tencin aide financièrement l'édition de *De l'esprit des lois* de Montesquieu en 1748, et Madame Geoffrin subventionne en partie la publication de l'*Encyclopédie*.

Gianetta-Rosa Benozzi
(dite « Silvia »).

royale de musique (ancêtre de l'Opéra de Paris) ; la Comédie-Française (ou Théâtre-Français), où se jouent les grandes comédies et tragédies en cinq actes ; et la Comédie-Italienne (ou Théâtre-Italien), plutôt dédiée aux comédies de un à trois actes, en italien à l'origine, puis en français.

Le théâtre, dans cette période d'effervescence intellectuelle, s'invite dans la réflexion collective et devient le miroir de la société nouvelle.

➡ La *commedia dell'arte*

Chassés du royaume en 1697 par Louis XIV pour irrespect à l'encontre de Madame de Maintenon, les Comédiens-Italiens ont été rappelés par le Régent en 1716. Installée à l'Hôtel de Bourgogne restauré pour l'occasion, la troupe dirigée par Luigi Riccoboni (dit « Lélio ») est essentiellement composée de sa famille, dont sa cousine germaine Gianetta-Rosa Benozzi (dite « Silvia »), qui devient vite l'actrice préférée de Marivaux et du public. Avec leur talent d'improvisation et leur jeu naturel, les Italiens apportent un souffle neuf à la scène parisienne.

Les troupes d'acteurs italiens installés à Paris depuis le xvie siècle ont importé d'Italie une forme de théâtre populaire : la *commedia dell'arte*. Les acteurs improvisent actes et paroles à partir d'un canevas établi d'avance. On retrouve des personnages types, tel Dottore le pédant, le vieillard Pantalon, les *zanni* ou valets Arlequin et Pierrot, les suivantes Colombine et Zerbinette. Dans les années 1720, les Comédiens-Italiens se créent un vrai répertoire littéraire français et collaborent avec des dramaturges français comme Marivaux.

Molière puis Marivaux ont repris à leur compte des personnages types de la *commedia dell'arte*.

En 1725, les Comédiens-Italiens divertissent les spectateurs de l'Hôtel de Bourgogne en représentant *L'Île des esclaves*, une comédie où se rencontrent l'esthétique classique, la fantaisie de la *commedia dell'arte* et l'esprit des Lumières.

I – Une comédie selon l'esthétique classique

➡ Une comédie inspirée d'Aristophane

À la différence des Modernes qui s'affranchissent du passé, les auteurs classiques ont pour modèle les œuvres de l'Antiquité. Mais Marivaux, bien que Moderne, puise dans les comédies d'Aristophane pour imaginer la révolte de ses esclaves. En effet, le dramaturge grec a déjà bouleversé l'ordre social en donnant le pouvoir aux femmes dans *Les Thesmophories* (411 av. J.-C.) et *L'Assemblée des femmes* (392 av. J.-C.).

➡ Une composition classique

L'Île des esclaves est une comédie en un acte composée de manière traditionnelle : une exposition, des péripéties et un dénouement reposant sur une surprise. Le fait qu'Arlequin, dans la scène 9, renonce à une supériorité sociale récemment acquise est une sorte de coup de théâtre si l'on songe que Trivelin avait annoncé que l'expérience devait durer trois ans. La scène finale, comme dans les comédies de Molière, réunit l'ensemble des personnages.

Par ailleurs, la présence de deux couples de naufragés et d'un personnage pivot, Trivelin, de même que les scènes qui se font écho (portraits, propos galants) rappellent le goût pour la symétrie et l'équilibre dans l'architecture classique.

➡ Le respect de la règle des trois unités

La brièveté de la pièce favorise le resserrement demandé par l'esthétique classique. L'action se

---

▶ **LES RÈGLES DU THÉÂTRE CLASSIQUE**
Boileau, dans son *Art poétique* paru en 1674, a édicté les règles du théâtre classique, notamment celle des trois unités : « *Qu'en un jour, qu'en un lieu, un seul fait accompli / Tienne jusqu'à la fin le théâtre rempli.* »
Il poursuit avec la vraisemblance : « *Jamais au spectateur n'offrez rien d'incroyable.* »
Au début du XIXe siècle, les romantiques s'affranchiront de la règle des trois unités mais pas de la vraisemblance, qui permet au spectateur d'adhérer à l'intrigue : « *L'esprit n'est point ému de ce qu'il ne croit pas* », explique Boileau.

déroule bien en **un seul lieu**, et l'île, espace géographiquement limité, ressemble, d'une certaine façon, à la scène d'un théâtre. Si Trivelin annonce, à la fin de la scène 2, que l'expérience des naufragés devra durer trois ans, tout s'accélère et les épreuves ne durent finalement qu'**un seul jour**. L'unité d'action est également respectée car les destins respectifs des quatre naufragés se croisent en **un seul nœud**.

➡ **La vraisemblance et la bienséance**

L'île est un lieu fantaisiste, un pur terrain d'expérimentation théâtrale. Pourtant, les références à Athènes ancrent l'histoire dans la réalité : Marivaux a entendu l'exigence de **vraisemblance** des classiques.

Il a aussi retenu la **bienséance**. Certes, l'inversion ébranle l'ordre social et les maîtres sont sévèrement critiqués, mais Marivaux sait jusqu'où il peut aller sans choquer. On le voit bien dans la scène 6, lorsque Euphrosine envisage une possibilité qui ne débouchera pas concrètement sur une scène : « *Inspirez à Arlequin de s'attacher à moi.* » Dans la tradition des amours ancillaires[1], le spectateur n'est pas choqué de voir Arlequin, devenu un maître, tenter de séduire Euphrosine en costume de servante, mais Marivaux ne compose pas la scène, sans doute choquante, d'une aristocrate séduisant un valet.

➡ **« Castigat ridendo mores »**

Reprenant une devise latine, Molière confie pour mission à la comédie de **corriger les mœurs en déclenchant le rire**. C'est en se moquant de la préciosité, dans *Les Précieuses ridicules*, qu'il se fait connaître à Paris. Marivaux, à son tour, dans *L'Île des esclaves*, s'en prend à l'aristocratie des salons. Euphrosine, en dépit de son nom grec, est une contemporaine de l'auteur, une coquette qu'il a croisée dans les réunions mondaines. Le langage artificiel et vide de sens, la galanterie sans réels sentiments, le souci de plaire et les fausses amitiés sont démontés et dénoncés sans pitié.

II – Un spectacle comique : la fantaisie à l'italienne

➠ Les *zanni* de la *commedia dell'arte*

Les *zanni* sont des valets, tels Trivelin, Scapin, Arlequin ou Polichinelle. Le mot viendrait du nom Giovanni souvent donné aux paysans très pauvres. Ainsi, les losanges rouges qui caractérisent le costume d'Arlequin rappellent les loques de la misère.

➠ Des personnages types

Les quatre naufragés sont des personnages types de la comédie. On reconnaît les **jeunes gens pleurnichards** et les **valets insolents** de Molière, tous héritiers de la comédie latine. Marivaux innove en laissant de côté le traditionnel barbon et en associant trois noms grecs et deux noms issus du théâtre italien.

Marivaux emprunte à la *commedia dell'arte* les valets Trivelin et Arlequin. Il imagine ce dernier en pensant à l'acteur Thomassin dont les *lazzi* (jeux de scène accompagnant les paroles) étaient célèbres. Lorsque Arlequin pousse des exclamations, il faut imaginer toutes sortes d'acrobaties variées. Trivelin fait également partie des *zanni*. Mais l'inversion qui préside au gouvernement de l'île en a fait une sorte de gouverneur, et son esprit initialement calculateur s'applique, ici, à des fins plus morales.

➠ Les sources du comique

Le **comique de situation** est un des principaux ressorts de la pièce. Il repose sur l'inversion et les combinaisons qui en résultent. L'échange des costumes crée un décalage comique. En effet, les esclaves singent leurs maîtres sans être à la

▶ **LES PERSONNAGES TYPES DE LA COMÉDIE LATINE**
Les personnages de la comédie latine portent des masques (*persona*, en latin) qui permettent de les identifier : le *senex*, un père vieux, grognon et égoïste ; l'*adulescens*, un jeune homme amoureux et peu débrouillard ; le *servus*, un valet rusé et bavard.

Évariste Gherardi (1663-1700) en Arlequin.

▶ **LE RIRE**
SELON BERGSON
Pour le philosophe Henri Bergson, le rire repose sur « *du mécanique plaqué sur du vivant* » (il donne l'exemple d'un homme distrait qui tombe et écrit que « *ce qu'il y a de risible dans ce cas, c'est une certaine raideur de mécanique là où l'on voudrait trouver la souplesse attentive et la vivante flexibilité d'une personne* »). Le rire a une fonction sociale car il dénonce les écarts ; l'« *anesthésie momentanée du cœur* » permet d'adopter une distance critique.

▶ **LE MARIVAUDAGE**
Ce mot, au départ négatif, désigne les finesses du langage dans le théâtre de Marivaux. Les subtilités servent le discours amoureux.

hauteur de leur nouveau rang. Mais l'inversion éclaire surtout le ridicule des maîtres. Employé par les esclaves déguisés, le langage artificiel du code galant devient ridicule et vide de sens.

Le **comique de caractère** tient autant à la préciosité des maîtres évoquée par leurs valets qu'aux esclaves eux-mêmes, dont Trivelin a libéré la spontanéité.

Lié au personnage d'Arlequin et à ses *lazzi*, le **comique de gestes** dynamise chacune des scènes. Par exemple, au début de la pièce, alors qu'Iphicrate parle naufrage, compagnons noyés et menaces de mort, Arlequin, comme Sganarelle dans *Le Médecin malgré lui* de Molière, se montre uniquement préoccupé par sa bouteille.

Les *lazzi* d'Arlequin s'accompagnent de pirouettes verbales car le **comique de mots** est essentiel chez Marivaux. Les répliques rebondissent en prenant appui sur un mot de la réplique précédente ; les tonalités se mêlent de manière subtile. Par exemple : « *EUPHROSINE. Je ne sais où j'en suis.* / *CLÉANTHIS. Vous en êtes au deux tiers* » (scène 3). Tel est l'art du marivaudage.

⇒ **La tradition carnavalesque**

Inspirée du carnaval médiéval et opposée au monde ordinaire rigide, la comédie propose des situations à l'envers. Tout devient possible : Molière, dans *Les Fourberies de Scapin*, présente un valet frappant son maître enfermé dans un sac. Chez Marivaux, dans *L'Île des esclaves*, le pouvoir et la raison appartiennent aux petits : Trivelin et Arlequin, les deux valets italiens, sont les plus sages.

III – Une comédie au Siècle des lumières
⇒ **La tentation du baroque**

Bien qu'il ait repris les canons du classicisme, Marivaux semble, pourtant, sans cesse attiré par l'esthétique baroque, le rococo en vogue à son époque. En effet, la symétrie classique est souvent fragilisée par de légers **déséquilibres**. Ainsi, Arlequin brosse le portrait de son maître après que Cléanthis a peint sa maîtresse, mais la scène est rapide ; de même, à la fin, le renoncement du valet ne trouve pas son écho chez Cléanthis ; les femmes seront plutôt amies.

Les **jeux de miroirs** (les esclaves devenus les miroirs de la galanterie) et le **théâtre dans le théâtre** sont également empruntés au baroque. Dans l'espace clos de l'île, les scènes se réfléchissent les unes les autres et, surtout, **le théâtre montre ses ficelles**. Marivaux rappelle, en effet, à plusieurs reprises, que sa pièce n'est qu'un spectacle et que les personnages sont prisonniers de leur rôle prédéfini. Par exemple, à la fin de la scène 8, Arlequin, incapable de répondre aux propos tragiques d'Euphrosine, s'arrête comme un pantin, « *abattu, les bras abaissés, et comme immobile* ». Et, lorsque Trivelin dit à Euphrosine : « *cette scène-ci vous a un peu fatiguée* », on devine le clin d'œil de Marivaux.

➡ Les thèmes à la mode

En 1719, Daniel Defoe, s'inspirant d'un fait divers, publie *Robinson Crusoé* : le thème du **naufrage** devient récurrent dans la littérature. Marivaux l'avait déjà traité en 1713 dans un roman de jeunesse : *Les Aventures de *** ou les Effets surprenants de la sympathie*.

L'**exotisme** est aussi à la mode, notamment depuis qu'Antoine Galland a traduit *Les Mille et Une Nuits* en 1704 : le décor imaginé par Marivaux en 1725 a tout pour séduire son public.

Après la Bétique de Fénelon dans *Les Aventures de Télémaque* (1699) et les Troglodytes de Montesquieu dans les *Lettres persanes* (1721), l'île de Marivaux s'inscrit dans le genre de l'**utopie** et met la fantaisie au service de la réflexion et de la critique.

▶ **LE BAROQUE**
Le baroque est un mouvement esthétique européen qui exprime le désarroi de l'homme face à la complexité du monde. Les décors chargés et les jeux de miroirs et d'enchâssement, tel le théâtre dans le théâtre, sont des caractéristiques du baroque. Le style rococo prolonge, au XVIIIe siècle, le mouvement du baroque.

La distance critique

Le philosophe des Lumières refuse de s'arrêter aux préjugés. Il prône la critique et, pour cela, adopte une position de recul qui lui permet d'observer objectivement la société et les institutions. Le regard distancié est à la fois une attitude philosophique et un procédé littéraire.

Dans *L'Île des esclaves*, Trivelin incarne cette distance critique ; il est ce que Jean Rousset, dans *Forme et Signification* (José Corti, 1962), appelle « **la conscience spectatrice** ». Orgon et son fils Mario, dans *Le Jeu de l'amour et du hasard*, la plus célèbre des comédies de Marivaux, occupent une position similaire ; comme le représentant des insulaires dans *L'Île des esclaves*, ils orchestrent et observent un jeu social et amoureux. On retrouve, sous la forme d'un regard étranger, ce procédé de mise à distance dans les *Lettres persanes* de Montesquieu et, plus tard, dans les contes de Voltaire.

La réflexion sur la société

La critique des mondains et du discours galant n'est pas une nouveauté au Siècle des lumières puisqu'elle nous divertissait déjà dans *Les Précieuses ridicules*. Molière a eu recours avant Marivaux au procédé de l'inversion, mais ce dernier donne une portée plus grande à ce thème carnavalesque : en envisageant toute une société inversée et en confiant les rênes de l'inversion à Trivelin, un valet astucieux, il propose une **réflexion sur la hiérarchie sociale**.

La nouveauté de la pièce ne réside pas dans la promotion inespérée des esclaves, mais dans les valeurs morales qui prennent finalement le pas sur la hiérarchie sociale. Dans la scène 10, la leçon de Cléanthis est tout à fait claire : « *Il faut avoir le cœur bon, de la vertu et de la raison ; voilà ce qu'il faut, voilà ce qui est estimable, ce qui distingue, ce qui fait qu'un homme est plus qu'un*

> **UTOPIE**
>
> *Utopia* est un mot et une île nés, en 1515, sous la plume de l'homme d'État et humaniste anglais Thomas More (1478-1535).
> Le mot, inspiré du grec, signifie littéralement « non-lieu », « nulle part ».
> Le genre de l'utopie regroupe les œuvres qui imaginent un pays fantaisiste, très différent de la réalité pour nous divertir et nous amener à réfléchir sur notre propre société.

autre. » Et Cléanthis n'affirme à aucun moment qu'elle reprend sa condition d'esclave, mais dit seulement à sa maîtresse : « *je vous rends la liberté* ». Euphrosine l'a bien compris d'ailleurs puisqu'elle termine la scène par ces mots : « *ne songe plus désormais qu'à partager avec moi tous les biens que les dieux m'ont donnés* ». Il faudra attendre Beaumarchais, dans les dernières années du siècle, pour que les privilèges de la noblesse soient clairement dénoncés.

▶ *LE MARIAGE DE FIGARO* DE **BEAUMARCHAIS**
Après avoir été interdite pendant cinq ans, la comédie *La Folle Journée ou le Mariage de Figaro* est représentée à la veille de la Révolution, en 1784. Beaumarchais dénonce les privilèges de la noblesse et les abus de pouvoir. « *Qu'avez-vous fait pour tant de biens ? Vous vous êtes donné la peine de naître, et rien de plus* », s'écrie Figaro dans son célèbre monologue.

François-Auguste Biard, *L'Abolition de l'esclavage dans les colonies françaises en 1848* (1849).

5 Étude des personnages

I – Trivelin : le représentant des insulaires

➥ Le meneur de jeu

Trivelin est un *zanni*, c'est-à-dire un **valet de la** *commedia dell'arte*. Comme Scapin, il est débrouillard et rusé. Dans *La Double Inconstance* (1723), Marivaux a déjà eu recours à ce personnage qui aide le Prince à mener à bien son projet amoureux.

Ici, au nom d'une petite société d'esclaves révoltés, **il incarne le pouvoir**. Accompagné de « *cinq ou six insulaires* », il intervient dans la scène 2 pour empêcher Iphicrate d'utiliser son épée contre Arlequin. Puis il propose aux quatre naufragés d'échanger leurs noms et costumes avant d'exposer l'expérience destinée à « *guérir* » les anciens maîtres (scènes 2 et 3). Enfin, il guide les premiers moments de cette vie inversée en libérant la parole des esclaves : dans les scènes 3 et 5, Cléanthis et Arlequin brossent un portrait à charge de leurs maîtres respectifs.

Après que les anciens esclaves ont profité de leur nouvelle condition et qu'ils en ont mesuré les limites, Trivelin revient, dans la scène 11, pour constater la réconciliation et annoncer le retour à Athènes.

À la différence des valets de la comédie, **Trivelin n'est pas, ici, un personnage comique** ; il semble se réduire à son rôle de meneur de jeu et de metteur en scène.

➥ Le porte-parole de Marivaux

Détenant les ficelles de l'expérience, Trivelin se tient en retrait et **s'apparente au dramaturge dont il incarne, sans doute, les idées**. Il entraîne les quatre naufragés sur un chemin de vérité semé d'épreuves. Dans ce parcours initiatique,

Trivelin aux naufragés : « *Vous voilà en mauvais état, nous entreprenons de vous guérir* » (sc. 2).

Trivelin aux naufragés : « *nous ne prenons que trois ans pour vous rendre sains, c'est-à-dire humains, raisonnables et généreux pour toute votre vie* » (sc. 2).

Trivelin à Euphrosine : « *Nous sommes d'honnêtes gens qui vous instruisons* » (sc. 4).

les valeurs morales et la sagesse priment sur la hiérarchie sociale et les artifices mondains. On retrouve, ici, la façon de penser de la franc-maçonnerie, une société secrète qui se développe au XVIIIᵉ siècle et que Marivaux a probablement côtoyée.

II – Les quatre naufragés : quatre personnalités différentes

Dans la tradition de la comédie, Marivaux met en scène deux couples de maîtres/esclaves et joue avec ce schéma conventionnel.

➡ Arlequin

Personnage de la *commedia dell'arte*, Arlequin tire, sans doute, son nom d'un mot germanique signifiant « diablotin ». **Ce nom suggère sa vivacité, tandis que le costume à losanges** du personnage, comme un souvenir des haillons des pauvres, **indique son origine populaire**. Spontané, voire insolent, Arlequin chante gaiement, une bouteille à la main.

Arlequin : « *j'ai sauvé ma pauvre bouteille, la voilà* » (sc. 1).

Comme le fait remarquer Euphrosine dans la scène 8, il n'a pas « *le cœur mauvais* » et peut éprouver de la compassion. Mais, prisonnier de son rôle comique, il reste « *les bras abaissés et comme immobile* », incapable de jouer une autre partition.

Introduire un valet aussi typé qu'Arlequin aux côtés de trois personnages grecs relève de la fantaisie. La multiplication des *lazzis* – jeux de scène et acrobaties – divertit le public et lisse les aspérités critiques de la pièce.

Arlequin : « *Oh, il ne s'en fait plus de cette pâte-là, je suis un mouton* » (sc. 8).

Entre deux pirouettes, Arlequin se montre toutefois capable de profondeur. Ainsi, lorsqu'il s'écrie dans la scène 6 : « *Nous sommes aussi bouffons que nos patrons, mais nous sommes plus sages* », ne rappelle-t-il pas que les bouffons de la comédie parlent avec la voix de la sagesse ?

➡ Cléanthis

Du mot grec *ánthos*, qui signifie « fleur », Cléanthis tire sa féminité et son goût pour la séduction. Par ailleurs, le début de son nom évoque la gloire *(kléos)* : la servante, une fois affranchie, affirmera, en effet, son pouvoir. **Elle n'a pas la naïveté et la spontanéité d'Arlequin ;** lorsqu'elle dépeint sa maîtresse, sa rancune éclate ; elle semble même se satisfaire de la souffrance d'Euphrosine. Elle dénonce les abus de l'autorité qui l'a asservie, mais, en même temps, elle se montre prête à user – voire abuser – de son nouveau pouvoir : « *qu'il m'épouse, il sortira tout d'un coup d'esclavage* », dit-elle à propos d'Iphicrate.

Le spectateur pourra donc être surpris de la voir affranchir Euphrosine à la fin de la pièce. Si elle ne va pas jusqu'à reprendre son costume d'esclave, elle renonce à sa rancune et accepte de devenir l'amie de son ancienne maîtresse. **Bien qu'autoritaire, elle demeure un personnage positif attaché aux valeurs morales** *(« ce n'est pas le bon cœur qui me manque »)* et capable de propos réfléchis et percutants. Son point de vue sur la hiérarchie sociale semble être celui de Marivaux lui-même et prépare les propos plus fermes de Beaumarchais.

➡ Iphicrate

Iphicrate signifie « qui gouverne » (*krátos*, « domination, pouvoir ») « par la force » (*iphis*, « force »). L'épée qu'il brandit contre son esclave, dans la scène 1, en est la preuve et indique son état d'esprit au début de la pièce. Comme l'*adulescens* (personnage type du jeune homme) de la comédie latine, c'est un **personnage fade et peu courageux.** Au lever de rideau, il se lamente sur son sort et se montre incapable de surmonter l'épreuve du naufrage. Il nous rappelle le jeune Octave face à son valet Sylvestre dans la scène d'exposition des *Fourberies de Scapin*.

Cléanthis : « *mais enfin me voilà dame et maîtresse d'aussi bon jeu qu'une autre ; je la suis par hasard ; n'est-ce pas le hasard qui fait tout ?* » (sc. 6).

Cléanthis à Iphicrate : « *Il faut avoir le cœur bon, de la vertu et de la raison ; [...] voilà ce qui est estimable, ce qui distingue, ce qui fait qu'un homme est plus qu'un autre* » (sc. 10).

Iphicrate : « *Juste Ciel ! Peut-on être plus malheureux et plus outragé que je le suis ?* » (sc. 1).

Euphrosine à
Arlequin : « Vois
l'extrémité où je suis
réduite » (sc. 8).

Cléanthis à propos
d'Euphrosine :
« c'est coquetterie
babillarde, jalouse
ou curieuse ; c'est
Madame, toujours
vaine ou coquette
l'un après l'autre,
ou tous les deux
à la fois » (sc. 3).

➡ Euphrosine

En totale opposition avec son nom emprunté à l'une des trois Grâces[1] et désignant la joie intense, **Euphrosine se lamente comme une héroïne tragique victime d'un terrible coup du sort.** Le naufrage l'a condamnée à devenir esclave, telle Andromaque prisonnière de Pyrrhus. Souvent silencieuse car en proie à une souffrance indicible, elle finit par exprimer à Arlequin son désarroi dans la scène 8. À la fin de la pièce, elle parvient à oublier la hiérarchie sociale pour proposer à Cléanthis de partager ses biens.

Toutefois, le long portrait que son esclave peint d'elle dans la scène 3 nous montre une autre facette du personnage : avant le naufrage, Euphrosine était une précieuse, le pendant d'Iphicrate.

Après Molière dans *Les Précieuses ridicules*, Marivaux dénonce avec virulence les comportements égocentriques et artificiels.

➤ **NOTE**

1. trois Grâces : divinités grecques *(charites)* et latines *(gratiae)* de la Beauté, de la Séduction et de la Créativité.

Aujourd'hui, comme à l'époque de Marivaux, l'île sur laquelle s'affrontent et se retrouvent maîtres et valets nous invite à regarder d'un œil neuf nos habitudes sociales et littéraires.

L'ÎLE DES ESCLAVES SUR INTERNET

Sur YouTube, vous pourrez visionner des extraits de la pièce. Cela vous permettra de comparer les différents choix opérés par les metteurs en scène. Regardez notamment la mise en scène de Gaële Boghossian et du vidéaste Paulo Correia (www.youtube.com/watch?v=iif-4RFpeso) et celle d'Irina Brook (www.youtube.com/watch?v=riQxnJV5dn0), dont nous avons reproduit des photographies (*cf.* verso de couverture et pp. 108 et 109). Vous pourrez, par exemple, comparer les décors choisis et les deux façons différentes de rendre la pièce contemporaine.

> « La première étape était de se questionner sur ce que peut être une île utopique, de nos jours. À l'époque de Marivaux, le monde restait à découvrir, tous les territoires n'avaient pas encore été découverts. [...] Aujourd'hui, l'inconnu réside dans le web et les avancées technologiques. Le monde virtuel prend une place prépondérante dans notre société, même s'il reste difficile à appréhender entièrement. »

Paulo Correia, dossier de presse de *L'Île des esclaves*, Anthéa-Antipolis, théâtre d'Antibes, 2017.

MARIVAUX SUR LA TOILE

Sur le site de la BNF (gallica.bnf.fr/essentiels/marivaux), vous trouverez des articles de Françoise Rubellin et Michel Delon, deux spécialistes du XVIIIe siècle et de Marivaux. Écoutez la présentation orale très claire faite par Françoise Rubellin : vous découvrirez les différentes facettes d'un auteur original, non pas révolutionnaire mais profondément libre et humaniste.

notamment chez Picasso, vous verrez que les peintres ont souvent donné au personnage un air triste qui nous rappelle la toute fin de la scène 8, lorsque Arlequin reste impuissant devant la douleur d'Euphrosine.

UN FILM CULTE : *THE SERVANT* (1963)

Ce chef-d'œuvre de Joseph Losey fait partie de ces grands films qui ont repris le thème du maître et du valet cher au théâtre pour approfondir une analyse à la fois sociologique et psychologique des personnages. Tony, jeune et séduisant aristocrate, engage Barrett, domestique aux allures humbles et discrètes. Très vite la luxueuse maison de Londres devient un huis clos étouffant et le valet exerce une emprise malsaine sur Tony.

Ce film en noir et blanc illustre la dialectique (évolution par opposition) du maître et de l'esclave selon Hegel : l'esclave, parce qu'il agit alors que son maître reste passif, peut renverser le rapport de domination. N'est-ce pas ce que montre aussi Marivaux dans la scène 1 de *L'Île des esclaves* quand Iphicrate se montre incapable de faire face à la situation du naufrage, tandis qu'Arlequin ne semble pas démuni ?

Dominique dans le rôle d'Arlequin. Son père, Domenico Biancolelli, fut le plus célèbre Arlequin de la *commedia dell'arte*.

ARLEQUIN

Dès le XVIIIe siècle, les peintres s'emparent de ce personnage coloré, issu de la *commedia dell'arte* et très présent chez Marivaux. On le croise sur les toiles de Watteau et, fin XIXe-début XXe siècle, sur celles de Cézanne, Derain, Picasso ou Chagall. Vous en trouverez facilement des reproductions sur Internet. En examinant les visages de certains d'entre eux,

N'hésitez pas à regarder aussi *Les Vestiges du jour* de James Ivory (1993), *La Cérémonie* de Claude Chabrol (1995) et *La Couleur des sentiments* de Tate Taylor (2011). Vous verrez comment le cinéma permet d'approfondir la psychologie des personnages ainsi que la nature des relations humaines.

LE TRAVESTISSEMENT AU THÉÂTRE

Dans *L'Île des esclaves*, l'inversion des conditions sociales ordonnée par Trivelin conduit les personnages à échanger costume et identité. Le dramaturge ne fait, ici, que reprendre à son compte le ressort comique du travestissement.

Dans *La Nuit des rois* (1602), une comédie que Marivaux connaissait probablement, Shakespeare croisait déjà les thèmes de l'île et du travestissement : échouée en Illyrie à la suite d'un naufrage, Viola décide de se déguiser en jeune homme. Démunie, elle entre, sous le nom de Césario, au service du duc d'Orsino.

Molière aussi avait usé de cette inversion des rôles dans *Les Précieuses ridicules* (1659) : deux valets se font passer respectivement pour le marquis de Mascarille et le vicomte de Jodelet afin de donner une bonne leçon à deux prétentieuses, Cathos et Magdelon.

Marivaux lui-même avait déjà eu recours au déguisement dans *La Double Inconstance* (1723). Mais c'est dans sa célèbre comédie *Le Jeu de l'amour et du hasard*, cinq ans après *L'Île des esclaves*, que le travestissement lui permet à nouveau d'inverser les conditions sociales, cette fois pour éprouver la sincérité et la force des sentiments.

LES SCÈNES DE GENRE

Depuis le théâtre grec, la relation maître/serviteur, au masculin ou au féminin, constitue une des lignes de force de la comédie car ce genre puise son inspiration dans le quotidien. Aussi n'est-il pas étonnant de retrouver ce thème chez les peintres attachés à montrer la vie privée des familles ordinaires.

On appelle « peinture de genre » ou « scène de genre » une toile, souvent de petite taille, représentant une situation familière ou anecdotique. Ce type d'œuvre devient très fréquent à partir de la Renaissance, notamment dans les pays du Nord. Témoins de la vie privée des familles, les servantes en compagnie de leurs maîtresses sont un sujet de prédilection. Découvrez notamment sur Internet *Jeune Femme lisant une lettre* de Gabriel Metsu (1629-1667) ou *La*

Lettre d'amour, *La Maîtresse et la Servante* et *Femme écrivant une lettre et sa servante* de Johannes Vermeer (1632-1675).

L'ÎLE, LIEU UTOPIQUE

Lieu exotique où l'on peut être confronté à la différence, lieu clos qui contraint à affronter l'adversité, l'île semble aussi le territoire de tous les possibles.

À la Renaissance, l'Anglais Thomas More tend un miroir à la société de son temps en imaginant *Utopia* (néologisme grec signifiant « non-lieu »), une île qui inaugure le genre de l'utopie (voir pp. 95-96).

Si *Robinson Crusoé* (1719) de Daniel Defoe a suscité de nombreuses réécritures, c'est que le thème du face-à-face avec soi-même et avec la nature ne cesse de semer questions et réflexions. Ainsi, après Jules Verne qui affirme, comme Defoe, la supériorité de la civilisation dans *L'Île mystérieuse* (1874), Michel Tournier (*Vendredi ou les Limbes du Pacifique*, 1967) apporte un nouvel éclairage en imaginant ce que Robinson peut apprendre de Vendredi. Une fois qu'une explosion accidentelle a fait disparaître les installations de Robinson, héritées des connaissances occidentales, les deux personnages abandonnent la relation maître/esclave pour découvrir l'amitié et une harmonie joyeuse avec la nature.

Ce thème de l'île ne cesse d'être repris. Ainsi, s'inspirant d'un fait réel, Irène Frain a raconté, en 2009, l'histoire des *Naufragés de l'île Tromelin*. En 1781, plaidant pour l'abolition de l'esclavage, Condorcet avait déjà fait allusion à ce drame dans ses *Réflexions sur l'esclavage des nègres*.

LA QUESTION DE L'ESCLAVAGE

Si la question de l'esclavage n'est pas au cœur du propos de Marivaux dans *L'Île des esclaves*, il est toutefois difficile de ne pas voir dans le choix des mots (parler d'« esclaves » et non pas de « domestiques ») une allusion au commerce triangulaire.

Des romanciers se sont emparés du sujet : Victor Hugo, dans *Bug-Jargal* (1820), et surtout l'Américaine Harriet Beecher Stowe, dont le roman *La Case de l'oncle Tom* (1852) a contribué à soutenir la cause abolitionniste.

En 2017, Véronique Olmi s'est inspirée de la véritable histoire d'une esclave pour écrire son roman *Bakhita*. Après avoir connu les marches forcées, les tortures, la violence et la honte, Joséphine Bakhita a voué sa vie aux enfants pauvres au lieu de chercher la revanche. Elle a été canonisée par Jean-Paul II en l'an 2000.

Mise en scène de *L'Île des esclaves* par Irina Brook (2005)

Document ❶
au verso
de la couverture

: Mise en scène d'Irina Brook au théâtre de l'Atelier (Paris, 2005).
: De gauche à droite, Iphicrate (Fabio Zenoni)
: et Arlequin (Sidney Wernicke).

Cette photographie illustre la dimension comique de la pièce et l'influence de la *commedia dell'arte* sur Marivaux.

➡ L'auteur et son œuvre

• Comme son père, Peter Brook, la comédienne Irina Brook (née en 1962) travaille sur Shakespeare, mais elle manifeste aussi de l'intérêt pour l'opéra (*La Flûte enchantée* de Mozart en 1999). En 2001, elle obtient cinq Molières pour *Une bête sur la lune* du dramaturge américain Richard Kalinoski. Depuis 2013, elle dirige le théâtre de Nice-Côte-d'Azur.

➡ Les liens avec la pièce

• Le spectateur est surpris puis conquis par sa version très colorée de *L'Île des esclaves*. Tout en étant conformes à la fantaisie de la pièce, les choix d'Irina Brook mettent en relief ses différents enjeux.

• Le décor stylisé évoque une île. Le regard est surtout attiré par les bagages ouverts, voire renversés, qui rappellent le voyage mais aussi une situation problématique.

• Les costumes modernes restent en accord avec les personnages de Marivaux. En effet, la condition sociale d'Iphicrate se devine à son costume de prix ainsi qu'à ses chaussures de ville. Sidney Wernicke, pieds nus, porte un pull lumineux qui rappelle les losanges associés à Arlequin, ce personnage type de la *commedia dell'arte*.

• Iphicrate et Arlequin s'affrontent avant que Trivelin ne les interrompe à la fin de la scène 1. Après que son maître lui a appris où ils avaient échoué, Arlequin a retiré ses souliers (voir la scène sur YouTube). Ainsi libéré de l'ancien ordre social, Arlequin se montre confiant (il combat sans heaume) et offensif. Iphicrate, lui, refuse de s'adapter à son nouvel environnement : il a gardé son manteau et ses chaussures. La cage grillagée qu'il porte en guise de protection rend la scène comique tout en suggérant peut-être les barrières dressées par les conventions sociales.

Mise en scène de *L'Île des esclaves* par Gaële Boghossian et création vidéo de Paulo Correia (2011)

Document
❷
au verso
de la couverture

Création théâtrale du Théâtre National de Nice, en 2011.
Au premier plan, Euphrosine (Ingrid Donnadieu)
et Iphicrate (Clément Althaus).
À l'arrière-plan, Trivelin (Jacqueline Scalabrini).

Cette vision futuriste de la pièce, qui évoque le roman *1984* de George Orwell, permet d'aborder l'art de la réinterprétation d'une œuvre classique.

➡ L'auteur et son œuvre

• Curieux des nouveautés graphiques et numériques, Paulo Correia, comédien et vidéaste portugais né en 1963, souhaite inventer un dispositif hybride entre cinéma et théâtre. Il a fondé en 2004, avec Gaële Boghossian (Cléanthis dans la pièce), la compagnie Collectif 8.

➡ Les liens avec la pièce

• À la surprise des spectateurs, les personnages sont plongés dans un univers virtuel, une version moderne de l'utopie. Un monde d'apesanteur est créé, où Trivelin a une position dominante, installé à l'arrière-plan dans un espace intersidéral. À genoux, au premier plan, Euphrosine et Iphicrate lui sont soumis, le regard oblique tendu vers lui. Voilà d'emblée soulignés les nouveaux rapports de force entre les maîtres résignés et le gouverneur tout-puissant. La réforme des maîtres passe par une étape d'humiliation et de contrition (scènes 2 à 5).

• Le décor est composé d'éléments géométriques, des cubes lumineux en forme de pixels. Tout est contrasté : noir et blanc s'affrontent, et les formes soulignées par une lumière bleutée sont déconstruites. En fait d'île paradisiaque, le spectateur, comme les naufragés chez Marivaux, découvre l'envers du décor, les rouages d'un monde nouveau et en mouvement qui, à la fois, l'inquiète et le séduit car il bouleverse les repères habituels.

• En choisissant une actrice (Jacqueline Scalabrini) pour incarner le rôle de Trivelin, le metteur en scène Gaële Boghossian, dans l'esprit de la pièce, donne au personnage une forme de neutralité et d'universalité qui renforce son influence sur les naufragés de l'île. Avec ses étranges lunettes qui semblent lui permettre de sonder les esprits, il est ici une présence terrifiante, la voix d'un ailleurs redouté, le maître du destin.

Dossier
spécial BAC

1 **Parcours littéraire :**

Maîtres et valets au théâtre

Avec *L'Île des esclaves*, Marivaux renouvelle le genre de la comédie en déplaçant la scène sur une île et en abandonnant le thème du mariage. Mais il garde, au masculin et au féminin, les personnages types du maître et du valet : leur relation ne serait-elle pas, en effet, le noyau dur de la comédie ?

Avec pour modèle les ressorts comiques du théâtre antique, Molière met en scène des servantes (Dorine, Toinette) et des valets (Scapin, Sganarelle) insolents mais sensés.

Au siècle suivant, Beaumarchais accorde au valet un statut nouveau : sur le chemin ouvert par *L'Île des esclaves*, *Le Mariage de Figaro* (1784) questionne la hiérarchie sociale.

Le couple maître/valet survit au naufrage de la comédie à la fin du XVIIIᵉ siècle. En 1838, en effet, Victor Hugo s'empare du flambeau en faisant de son valet Ruy Blas, amoureux de la Reine, le héros de son drame romantique. Enfin, au XXᵉ siècle, quand il reprend le thème, riche de sens, du *servus*, l'esclave de la comédie latine, Samuel Beckett ancre la modernité d'*En attendant Godot* (1952) dans une tradition théâtrale bimillénaire.

▶ Texte A : Molière, *Le Tartuffe*

Orgon s'est entiché de Tartuffe, un dévot hypocrite à qui il veut donner sa fille Marianne en mariage. Dorine, la servante, tente de s'interposer entre Orgon et la jeune fille.

ORGON

Te tairas-tu, serpent, dont les traits effrontés... ?

DORINE

Ah ! vous êtes dévot, et vous vous emportez ?

ORGON

Oui, ma bile s'échauffe à toutes ces fadaises[1],
Et tout résolument je veux que tu te taises.

DORINE

Soit. Mais, ne disant mot, je n'en pense pas moins.

ORGON

Pense, si tu le veux ; mais applique tes soins
À ne m'en point parler, ou... Suffit.
(Se retournant vers sa fille.)

Comme sage,

J'ai pesé mûrement toutes choses.

DORINE

J'enrage

De ne pouvoir parler.
(Elle se tait lorsqu'il tourne la tête.)

ORGON

Sans être damoiseau[2],

Tartuffe est fait de sorte...

DORINE

Oui, c'est un beau museau.

ORGON

Que, quand tu n'aurais même aucune sympathie
Pour tous les autres dons...

DORINE

La voilà bien lotie !

(Il se tourne devant elle, et la regarde les bras croisés.)
Si j'étais en sa place, un homme assurément
Ne m'épouserait pas de force impunément ;
Et je lui ferais voir bientôt après la fête
Qu'une femme a toujours une vengeance prête.

ORGON

Donc, de ce que je dis on ne fera nul cas ?

DORINE

De quoi vous plaignez-vous ? Je ne vous parle pas.

ORGON

Qu'est-ce que tu fais donc ?

DORINE

Je me parle à moi-même.

ORGON

Fort bien. Pour châtier son insolence extrême,
Il faut que je lui donne un revers de ma main.
(Il se met en posture de lui donner un soufflet[3] ; et Dorine, à chaque coup d'œil qu'il jette, se tient droite sans parler.)
Ma fille, vous devez approuver mon dessein…
Croire que le mari… que j'ai su vous élire…
(À Dorine.)
Que ne te parles-tu ?

DORINE

Je n'ai rien à me dire.

ORGON

Encore un petit mot.

DORINE

Il ne me plaît pas, moi.

ORGON

Certes, je t'y guettais.

DORINE

Quelque sotte, ma foi !

ORGON

Enfin, ma fille, il faut payer d'obéissance,
Et montrer pour mon choix entière déférence.

DORINE, *en s'enfuyant.*

Je me moquerais fort de prendre un tel époux.
(Il lui veut donner un soufflet et la manque.)

Molière, *Le Tartuffe*, extrait de la scène 2 de l'acte II, 1669.

1. fadaises : sottises.
2. damoiseau : jeune homme.
3. soufflet : gifle.

▶ Texte B : Beaumarchais, *Le Mariage de Figaro*

Le Comte, soupçonnant sa femme de lui être infidèle, interroge son laquais Figaro ; il cherche également à savoir si ce dernier sait que Suzanne, la fiancée du valet, a accordé un rendez-vous à son maître épris d'elle. En réalité, non seulement Figaro est au courant, mais il sait aussi qu'il s'agit d'un piège.

LE COMTE. Quel motif avait la Comtesse pour me jouer un pareil tour ?

FIGARO. Ma foi, Monseigneur, vous le savez mieux que moi.

LE COMTE. Je la préviens sur tout, et la comble de présents.

FIGARO. Vous lui donnez, mais vous êtes infidèle. Sait-on gré du superflu à qui nous prive du nécessaire ?

LE COMTE. … Autrefois[1] tu me disais tout.

FIGARO. Et maintenant je ne vous cache rien.

LE COMTE. Combien la Comtesse t'a-t-elle donné pour cette belle association ?

FIGARO. Combien me donnâtes-vous pour la tirer des mains du docteur ? Tenez, Monseigneur, n'humilions pas l'homme qui nous sert bien, crainte d'en faire un mauvais valet.

LE COMTE. Pourquoi faut-il qu'il y ait toujours du louche en ce que tu fais ?

FIGARO. C'est qu'on en voit partout quand on cherche des torts.

LE COMTE. Une réputation détestable !

FIGARO. Et si je vaux mieux qu'elle ? Y a-t-il beaucoup de seigneurs qui puissent en dire autant ?

LE COMTE. Cent fois je t'ai vu marcher à la fortune[2], et jamais aller droit.

FIGARO. Comment voulez-vous ? La foule est là : chacun veut courir, on se presse, on pousse, on coudoie[3], on renverse, arrive qui peut ; le reste est écrasé. Aussi c'est fait ; pour moi, j'y renonce.

LE COMTE. À la fortune ? *(À part.)* Voici du neuf.

FIGARO, *à part.* À mon tour maintenant. *(Haut.)* Votre Excellence m'a gratifié de la conciergerie[4] du château ; c'est un fort joli sort : à la vérité, je ne serai pas le courrier étrenné des nouvelles intéressantes[5] ; mais, en revanche, heureux avec ma femme au fond de l'Andalousie[6]…

LE COMTE. Qui t'empêcherait de l'emmener à Londres ?

FIGARO. Il faudrait la quitter si souvent que j'aurais bientôt du mariage par-dessus la tête.

LE COMTE. Avec du caractère et de l'esprit, tu pourrais un jour t'avancer dans les bureaux.

FIGARO. De l'esprit pour s'avancer ? Monseigneur se rit du mien. Médiocre et rampant, et l'on arrive à tout..

Beaumarchais, *Le Mariage de Figaro*,
extrait de la scène 5 de l'acte III, 1785.

1. Allusion au *Barbier de Séville*, comédie dans laquelle Figaro a aidé le Comte à obtenir la jeune Rosine (la future « Comtesse ») que le docteur Bartholo comptait épouser.
2. fortune : ici, réussite.
3. coudoie : joue des coudes.
4. conciergerie : poste de gardien.
5. le courrier étrenné des nouvelles intéressantes : le premier au courant des nouvelles intéressantes.
6. L'action de la pièce se situe en Espagne.

▶ Texte C : Victor Hugo, *Ruy Blas*

Quelques années après avoir partagé une vie libre, deux amis, Don César, un noble, et Ruy Blas, un homme du peuple, se retrouvent. Ce dernier est devenu le valet de Don Salluste, un grand d'Espagne.

RUY BLAS

Hier, il[1] m'a dit : – Il faut être au palais[2] demain
Avant l'aurore. Entrez par la grille dorée. –
En arrivant, il m'a fait mettre la livrée[3],
Car l'habit odieux sous lequel tu me vois,
Je le porte aujourd'hui pour la première fois.

DON CÉSAR, lui serrant la main.

Espère !

RUY BLAS

Espérer ! Mais tu ne sais rien encore.
Vivre sous cet habit qui souille et déshonore,
Avoir perdu la joie et l'orgueil, ce n'est rien.
Être esclave, être vil, qu'importe ? – Écoute bien :
Frère ! je ne sens pas cette livrée infâme,
Car j'ai dans ma poitrine une hydre[4] aux dents de flamme
Qui me serre le cœur dans ses replis ardents.
Le dehors te fait peur ? Si tu voyais dedans !

DON CÉSAR

Que veux-tu dire ?

RUY BLAS

Invente, imagine, suppose.
Fouille dans ton esprit. Cherches-y quelque chose
D'étrange, d'insensé, d'horrible et d'inouï.
Une fatalité dont on soit ébloui !
Oui, compose un poison affreux, creuse un abîme
Plus sourd que la folie et plus noir que le crime,
Tu n'approcheras pas encor de mon secret.
– Tu ne devines pas ? – Hé ! qui devinerait ? –

Zafari[5] ! dans le gouffre où mon destin m'entraîne,
Plonge les yeux ! – je suis amoureux de la reine !

DON CÉSAR

Ciel !

RUY BLAS

Sous un dais[6] orné du globe impérial,
Il est, dans Aranjuez[7] ou dans l'Escurial[8],
– Dans ce palais, parfois, – mon frère, il est un homme
Qu'à peine on voit d'en bas, qu'avec terreur on nomme ;
Pour qui, comme pour Dieu, nous sommes égaux tous ;
Qu'on regarde en tremblant et qu'on sert à genoux ;
Devant qui se couvrir[9] est un honneur insigne[10] ;
Qui peut faire tomber nos deux têtes d'un signe ;
Dont chaque fantaisie est un événement ;
Qui vit, seul et superbe[11], enfermé gravement
Dans une majesté redoutable et profonde,
Et dont on sent le poids dans la moitié du monde.
Eh bien ! – moi, le laquais, – tu m'entends, – eh bien ! oui,
Cet homme-là ! le roi ! je suis jaloux de lui !

DON CÉSAR

Jaloux du roi !

RUY BLAS

Hé, oui ! jaloux du roi ! sans doute,
Puisque j'aime sa femme !

DON CÉSAR
Oh ! malheureux !

Victor Hugo, *Ruy Blas*, extrait de la scène 3 de l'acte I, 1838.

1. **il** : Don Salluste. 2. **palais** : palais royal.
3. **livrée** : tenue de domestique. 4. **hydre** : monstre mythologique.
5. **Zafari** : nom d'emprunt sous lequel Ruy Blas connaît Don César.
6. **dais** : tenture fixée au-dessus d'une estrade ou d'un trône.
7. **Aranjuez** : résidence d'été des rois d'Espagne. 8. **Escurial** : palais royal de Madrid.
9. **se couvrir** : porter un chapeau (seuls les grands d'Espagne pouvaient rester couverts devant le roi). 10. **insigne** : remarquable. 11. **superbe** : orgueilleux.

▶ **Texte D : Samuel Beckett, *En attendant Godot***

> Deux marginaux, Vladimir et Estragon, se sont retrouvés pour attendre un mystérieux Godot qui ne vient pas. Mais arrive Pozzo, élégamment vêtu, qui tient en laisse son esclave Lucky.

POZZO. [...] *(Sans se lever, il se penche et reprend son fouet.)* Que préférez-vous ? Qu'il danse, qu'il chante, qu'il récite, qu'il pense, qu'il…

ESTRAGON. Qui ?

POZZO. Qui ! Vous savez penser, vous autres ?

VLADIMIR. Il pense ?

POZZO. Parfaitement. À haute voix. Il pensait même très joliment autrefois, je pouvais l'écouter pendant des heures. Maintenant… *(il frissonne.)* Enfin, tant pis. Alors, vous voulez qu'il nous pense quelque chose ?

ESTRAGON. J'aimerais mieux qu'il danse, ce serait plus gai.

POZZO. Pas forcément.

ESTRAGON. N'est-ce pas, Didi, que ce serait plus gai ?

VLADIMIR. J'aimerais bien l'entendre penser.

ESTRAGON. Il pourrait peut-être danser d'abord et penser ensuite ? Si ce n'est pas trop lui demander.

VLADIMIR *(à Pozzo)*. Est-ce possible ?

POZZO. Mais certainement, rien de plus facile. C'est d'ailleurs l'ordre naturel. *(Rire bref.)*

VLADIMIR. Alors, qu'il danse.

Silence.

POZZO *(à Lucky)*. Tu entends ?

ESTRAGON. Il ne refuse jamais ?

POZZO. Je vous expliquerai ça tout à l'heure. *(À Lucky.)* Danse, pouacre[1] !

Lucky dépose valise et panier, avance un peu vers la rampe, se tourne vers Pozzo. Estragon se lève pour mieux voir. Lucky danse. Il s'arrête.

ESTRAGON. C'est tout ?

POZZO. Encore !

Lucky répète les mêmes mouvements, s'arrête.

ESTRAGON. Eh ben, mon cochon ! *(Il imite les mouvements de Lucky.)* J'en ferais autant. *(Il imite, manque de tomber, se rassied.)* Avec un peu d'entraînement.

VLADIMIR. Il est fatigué.

POZZO. Autrefois, il dansait la farandole, l'almée, la gigue, le fandango et même le hornpipe[2]. Il bondissait. Maintenant il ne fait plus que ça. Savez-vous comment il l'appelle ?

ESTRAGON. La mort du lampiste[3].

VLADIMIR. Le cancer des vieillards.

POZZO. La danse du filet. Il croit être empêtré dans un filet.

VLADIMIR *(avec des tortillements d'esthète)*. Il y a quelque chose…

Lucky s'apprête à retourner vers ses fardeaux.

POZZO *(comme un cheval)*. Woooa !

Lucky s'immobilise.

Samuel Beckett, *En attendant Godot*, extrait de l'acte premier, Les Éditions de Minuit, 1952.

1. **pouacre** : être répugnant.
2. Il s'agit de danses de différents pays.
3. **lampiste** : ici, ouvrier, employé mal considéré.

② Sujets d'écrit

▌VOIE GÉNÉRALE

Commentaire
Vous ferez le commentaire du texte de Victor Hugo (texte C, p. 117).

Dissertation
Dans quelle mesure la relation maître/valet est-elle un principe central de la comédie ?

Vous proposerez une réponse construite et argumentée à cette question en vous appuyant sur *L'Île des esclaves* de Marivaux et les textes du parcours associé « Maîtres et valets au théâtre », ainsi que sur les pièces que vous avez étudiées, lues ou vues.

▌VOIE TECHNOLOGIQUE

Commentaire
Vous ferez le commentaire du texte de Molière (texte A, p. 113) en vous aidant du parcours de lecture suivant :

– Vous montrerez en quoi cette scène tonique est caractéristique du genre de la comédie.

– Vous étudierez le rôle que tient la servante.

▶ Crédits photographiques

couverture : Fabio Zenoni (Iphicrate) et Sidney Wernicke (Arlequin) dans la mise en scène de *L'Île des esclaves* par Irina Brook au théâtre de l'Atelier en 2005, © Pascal Victor / ArtComPress. **pp. 4, 6, 8, 9, 11, 19, 20, 25, 36, 37, 40, 41, 46, 47, 56, 57, 59, 65, 69, 73, 78, 79, 83, 90, 93, 104 :** © photos Photothèque Hachette. **p. 98 :** © photo Josse / Leemage. **p. 112 :** détail du tableau *Anthonij de Bordes et son valet* (1648) de Michael Sweerts (1618-1664), © photo National Gallery of Art.

Conception graphique
Couverture : Mélissa Chalot
Intérieur : GRAPH'in-folio

Édition
Fabrice Pinel

Mise en pages
APS-ie

PAPIER À BASE DE
FIBRES CERTIFIÉES

hachette s'engage pour
l'environnement en réduisant
l'empreinte carbone de ses livres.
Celle de cet exemplaire est de :
250 g éq. CO$_2$
Rendez-vous sur
www.hachette-durable.fr

Achevé d'imprimer en septembre 2020 en Espagne par Black Print
Dépôt légal : Juin 2019 – Édition : 05
75/1492/7

Dans la même collection :